U0131379

不可能中的可能

王建民的美麗與哀愁

龔邦華／著

Wang

CONTENTS

目錄

推薦序 獨樹一格／彼特・亞伯拉罕 005
站在世界頂端的孤寂／張瑞昌 008
假指甲情緣／熊昌成 013
一起為建仔加油／馮勝賢 016
重新奮起／林顯郎 017
自序 看見他的美麗與哀愁 018

CONTENTS

目錄

第一章 一個不簡單的人 022
第二章 一位不像王牌的王牌 058
第三章 一個意外的開始 092
第四章 一個不意外的結束 132
第五章 一個不一樣的家 170
第六章 一切從零開始 196
附錄 王建民的關鍵戰役 236

（推薦序一）

獨樹一格

彼特・亞伯拉罕
(Peter Abraham)

在我於紐約《新聞日報》主跑洋基新聞期間，遇過許多來自世界各地的採訪記者。洋基擁有日本、多明尼加、巴拿馬、墨西哥和台灣等國的棒球好手，這些選手的故事都成為洋基的一部分，所以不管是老闆、經理或者選手們都早已習慣應對國際媒體的發問。

在這些國際採訪團之中，Jessica（龔邦華英文名）是一位格外引人注目的記者。雖然她是台灣媒體，卻不將關注的焦點只放在王建民身上，而是想盡辦法從他的隊友、教練等球隊成員身上問出更多細節，再拼湊出故事的全貌。

我還記得一向以怪脾氣出名的投手穆西納站在置物櫃前，耐心地接受她採訪的樣子，可見Jessica的棒球素養必定讓穆帥印象深刻，才能從這位巨投

口中問出答案。

她對採訪工作的堅持，連當時的總教練托瑞都注意到了。在某場季後賽開打之前，托瑞見到她問起王建民，忍不住脫口說：「喔，又是你啊！」

長期採訪下來，她從柏奈特和張伯倫身上學到許多投球的知識，也不怕面對隊長吉特，並直接問他對王的看法。她的敬業精神和隨機應變的技巧連我們這些每天跑洋基新聞的記者都大感佩服，全隊球員幾乎都被她訪問過。

最讓我感動的是她對於大聯盟整體賽事的興趣，即使她的焦點在王身上，她仍會想辦法搞懂球賽的每個環節，再完整地向台灣的觀眾報導。這是很困難的挑戰，而她確實做到了。

王在洋基時期，她總是獨自穿梭於球員休息室，忙著蒐集資訊、與球員聊天，其他同業多僅在旁觀看，很少有人像她一樣積極地行動。

洋基的魅力讓世界各地的記者齊聚紐約，在這之中，我相信透過Jessica獨特觀點寫出的報導，必也會獲得你的認同。

本文作者為《波士頓環球報》記者

陳健榆　譯

附錄：亞伯拉罕推薦序原文

During the four years that I covered the New York Yankees for The Journal News of White Plains, N.Y., I encountered journalists from across the world.

The Yankees had players from Japan, the Dominican Republic, Panama, Mexico and Taiwan and their stories were compelling ones. The Yankees executives, managers and players became accustomed to answering questions from an international audience.

One journalist who stood out in this crowd was Jessica Kung.

Unlike many in her position, Jessica did not focus only on one player in her coverage of Chien-Ming Wang. She took it upon herself to speak to his teammates, coaches and other to get the full story.

I can remember notoriously grumpy pitcher Mike Mussina patiently answering her questions one day while standing in front of his locker. Jessica had impressed "Moose" enough with her knowledge of baseball to get some good answers from him.

Jessica also was persistent in her job, so much so that manager Joe Torre took notice. "Oh, it's you again," he said before one playoff games when she asked about Wang.

Along the way, Jessica learned about pitching from A.J. Burnett and Joba Chamberlain and wasn't afraid to march up to Derek Jeter and ask him what he thought of Wang. Those of us who covered the Yankees every day marveled at her spirit and resourcefulness. There was no player who was beyond her reach.

What struck me the most was that Jessica was interested in the game as a whole. While her focus was on Wang, she made sure she understood the entirety of the game and presented that to her viewers and readers in Taiwan. It was an ambitious undertaking to say the least and she accomplished it successfully.

Several times during Wang's time in New York, competing journalists would watch Jessica work her way around the clubhouse gathering information and chatting with the players. But none took the same approach. She was alone in that regard.

The Yankees draw journalists from literally every corner of the world to New York. You can be assured that Jessica Kung had a unique viewpoint that makes her work something to be recognized.

Peter Abraham

（推薦序二）

站在世界頂端的孤寂

張瑞昌

投手丘是棒球場中唯一隆起的高地，站在那直徑十八呎的圓形土丘上，居高臨下、環顧四周，有一種睥睨整座球場的感覺。小時候，我像許多經歷過台灣棒球「三冠王」洗禮的孩子，總愛編織一個棒球夢：一支夢幻球隊，有守備陣容，也有打擊順序，而自己是球隊王牌，想像有一天能站在投手丘，向本壘板投出一顆如電光石火般的快速球。

直到年紀漸長，明瞭自己走到投手板的路，比月球和我的距離還遙遠，那種「高處不勝寒」的感覺是孤寂的。因為主宰者雖然掌握球隊勝負的關鍵，但掌聲與噓聲往往相伴，英雄和狗熊又是在一線之隔。我猜想，那聚光燈所在的投手丘，必然有著身處絕頂孤峰的寂寥。

我的同事邦華，書寫的是發生在投手丘上的故事，主角是國人耳熟能詳的旅美球星王建民。過去幾年來，她在《中國時報》體育版開闢的「晚安球迷」，不僅是國內唯一長期近身觀察建仔的媒體專欄，也是目前各報幾乎瀕臨絕種的棒球評論。透過邦華的筆，球迷看到建仔在球賽轉播中未曾出現的話語，以及他在棒球武林中行走的蕭颯身影。

不過，對我而言，站在投手丘若隱若現的孤寂感，才是她文中最迷人的地方，也是我一直咀嚼回味的童年夢想。

「晚安球迷」的專欄在推出後，叫好又叫座，許多讀者對一個電視台海外特派員寫得如此有魅力，充滿好奇心。畢竟，拿麥克風和搖筆桿是不太一樣的，何況還是出自一位長髮飄逸的美女。在陽剛性格濃厚的棒球運動中，突然冒出一枝情感纖細、觀察敏銳的好筆，多數球迷當然都會感到興趣。我也不例外，甚至很快地成為邦華專欄的粉絲，讀到精彩處，常有心嚮往之的讚嘆。

讀邦華的文章，有一種看似雲淡風輕實則卻風馳電掣的享受。舉例來說，她寫建仔的這個人，「在一個荊棘遍布錯綜複雜的環境中，他像是一道冷泉，流得靜、流得深、流得遠。雖然有時會被忽略，但是沒有人敢忽視那

股沉默的力量。」這段觀察入微的描述令人拍案叫絕，深山冷泉，穿林越谷，那是我看過最能體現建仔闖蕩大聯盟的絕妙比喻。

紐約是世界之都，王建民在這裡崛起，並且宛如少林弟子打十八銅人陣，在大聯盟的豪門球團揚名立萬，派駐此地的邦華躬逢其盛，詳細且完整地記錄了整個奮鬥過程。事實上，邦華在書中不只展現一個新聞工作者見證歷史的專業功力，她彙整穆西納、柏奈特乃至李維拉等洋基名投看建仔表現的評價，毋寧更讓人折服。

就一個新聞記者而言，報導王建民在大聯盟的投球表現，不過是盡本分而已，但能夠把強投名將和建仔做連結，同時深刻地描繪他們在投手丘上身經百戰的經驗談，藉以讓沉默寡言的建仔有所借鏡，為身處江湖的建仔仙人指路。借用邦華自己對頂級投手的形容，這樣的文字功力「是需要練到爐火純青的地步」。

這就是邦華，一手拿麥克風、一手搖筆桿，像是一個可以左右開弓的投手，儘管我也曾躍躍欲試，在中時「投一休四」專欄的筆陣先發，但平心而論，與邦華相比可差多了。除了缺乏第一手的觀察心得之外，我也沒有邦華那種貼近建仔內心世界的敏銳度。或許，可以這麼說，細膩溫柔的邦華，簡直就是一個藏在建仔身體裡的棒球精靈。

我和王建民有過一次接觸經驗，那時我擔任《時報周刊》總編輯，趁著建仔回台灣，特地安排導演吳念真與他進行對談。吳導是很棒的說書人，深諳訪談技巧，結果那次兩人聊了半天，連吳念真也直呼被王建民的沉默寡言打敗。相形之下，邦華的確是最能抓住建仔意志的引路人，才能讓一個在媒體圈出了名的啞石開口，讓我們看見這個台灣子弟心底的聲音。

效力過紅襪、大都會的賽揚獎名投佩卓・馬丁尼茲，曾說他是「扛著家鄉在投球」，很長一段時間以來，我也是用這樣的角度看著站在世界頂端的王建民。如今，讀過邦華的書，發覺「扛著家鄉」的一詞太沈重，讓飽嚐大聯盟冷暖的建仔更顯孤寂。

然而，孤寂的王建民終究為台灣球迷投出了大聯盟之路，連續兩個球季都拿下十九勝的優異表現，已成為台灣社會的集體記憶。邦華的新書《不可能中的可能—王建民的美麗與哀愁》，不僅見證了這些優異表現，也重建了一段從「三冠王」之後消失許久的集體記憶，她帶我們重新回首王建民曾給

予台灣社會的感動，並且聆聽在那座土丘上有過的悲喜進行曲。

邦華的書裡有一句話很值得玩味，「對一個人性格上真正的考驗就是看他如何反敗為勝（The true test of character is how you come back.）」我相信這個在大聯盟球星鈴木一朗眼中「外表很安靜，但是內心在燃燒」的棒球人，不會讓台灣球迷失望，因為他即將出發，在闊別兩年後的仲夏時分，那顆燃燒的火球，就要上場了！

本文作者為《中國時報》執行副總編輯

（推薦序二）

假指甲情緣

熊昌成

龔邦華小姐的新書出版前，她來電囑咐，要我替新書寫序，並跟我強調：「沒有你，就不會有這本書。」這讓我非常惶恐。其實，全書都是龔小姐這些年採訪、觀察王建民比賽和生活的心得，再透過她的生花妙筆，將其所見、所聞呈現給讀者。若真要說與我有任何關連，大概就是以下這段我常跟朋友們提及的「假指甲情緣」。二〇〇七年大聯盟球季初期，王建民因為在春訓末期拉傷大腿，未能趕上新賽季開幕，遲至四月下旬歸隊後，又在對波士頓紅襪隊的比賽中傷了右手指甲。當時國內派赴美國採訪的各家媒體都有相關訊息傳回：王建民戴上「假指甲」後仍將繼續出賽。「假指甲」是什麼東西？投手在手指戴上「添加物」後有沒有觸犯棒球規則呢？這個疑問，因為當時各方的報導中都沒有正解。所以我立即請當時擔任《中國時報》特約

採訪的李弘斌先生就這個疑問尋找答案，希望讓讀者能進一步掌握正確訊息。弘斌因是初次赴美採訪大聯盟，突然面對這個與球賽沒有直接關係的任務似乎有點茫然，我就跟他說：「請中視特派員龔邦華幫忙吧，她是我們媒體集團的成員，又長駐紐約，女生對指甲的保護和美容或許知道的更多，能指引你一些方向。」果然，在龔小姐協助下，弘斌走訪了曼哈頓地區數家韓國人開設的「指甲沙龍（nails salon）」和「指甲雕塑室（nails studio）」。他自己花錢去體驗了假指甲的製作與使用，然後順利完成任務，更協助《中國時報》刊出獨家報導，讓關心王建民的國人明瞭建仔運用「假指甲」的過程，非但沒有違規，且是幫助他持續穩健投球的關鍵。經由這篇報導的披露，讓我意識到如果能從女性觀點來看王建民的比賽，或許能讓充滿陽剛氣息的棒球新聞，融入比較軟性的素材，豐富《中國時報》「運動天地版」的內容；更何況，龔小姐是經驗豐富的記者，她的新聞敏感度絕對不亞於各報派赴美國採訪的大男生們，而能有更為細膩且獨到的見解。透過當時仍在美採訪的弘斌提出口頭邀約，龔小姐也爽快地答應替「運動天地版」供稿，這個廣獲好評且持續刊登中的「晚安球迷」（註）於焉誕生。

《不可能中的可能—王建民的美麗與哀愁》是邦華小姐這幾年貼身採訪王建民新聞的真實紀錄，許多內容是不曾在報刊上披露過的，我藉此序文向讀者推薦本書之外，還要透露一下：龔小姐不是專職的體育記者，但採訪相關新聞的努力與用心，更在專業記者之上，這才是本書得以問市的主因。

本文作者為《中國時報》體育組主任

註：專欄取名「晚安」，係以龔小姐名字的發音與日文晚安相似而來，因邦華曾是中視駐日特派員。

（推薦序四）

一起為建仔加油

馮勝賢

這是一本描述王建民內心世界的書！

記錄一位偉大的球員如何面對低潮。當球員受傷時最無助，面對復健的漫長路，需要很大的耐心及心理建設，才能讓他再踏入大聯盟的舞台！

書中有一段可以代表現在王建民的心境：「一般人面對危機時的直覺反應就會特別努力，偏偏在球場上切忌求好心切，一旦心切，狀況就容易變糟，反而是退一步更有揮灑空間。」我們相信他一定能走出來，利用這一本書告訴讀者，王建民是個很努力的選手，更是棒球選手的典範！

面對未來，無論能否再次有奇蹟出現，就是要努力去做好準備，再次發揮他的實力，如果這一次能順利再站上大聯盟的舞台，這一路走來的故事更是有意義，這一本記錄他復健之路的書，值得大家去閱讀！

本文作者為建仔好友、兄弟象教練

（推薦序五）

重新奮起

林顯郎

從二〇〇五年王建民在大聯盟初登板，宏碁即行動力挺，連續七年王建民都為宏碁代言人。

這段時間，見證他連續兩年十九勝的巔峰，也看到二〇〇九年受傷術後面臨的苦難。不論攀上巔峰或面對困難，外表靜默的建仔，其實內心是無比堅強。

二〇一〇年返台時，王建民曾對我說：「跌倒了他會記得爬起來。」我衷心期盼跌倒後的建仔能重新站上大聯盟的投手丘，開啟另一個高峰。

本文作者為宏碁台灣區總經理

（自序）

看見他的美麗與哀愁

我很清楚地記得王建民在洋基初登板的那一天。當建仔踏上投手丘，廣播器中傳出來「Chien Ming Wang」三個字的時候，心中湧起莫名的感動。身旁一位同業說，我都想要哭了。我點點頭，因為我也是。為什麼呢？因為一個長遠的記憶就此甦醒過來。

我是從小看威廉波特世界少棒錦標賽長大的，那真是美好的年代，大家物質都不富裕，但卻對未來充滿了信心。我記得半夜被挖起來看轉播，贏了就放鞭炮，少棒小將們戴著頭盔為國征戰的鏡頭在我的腦海烙下一個深深的印子。

沒想到出國當特派記者多年後，我會有幸目睹另一個傳奇。

有一次跟建仔說，我喜歡棒球是因為從小看少棒轉播。建仔睜大了眼說：「我爸也是這樣說。」建仔的反應讓我覺得很可愛，其實台灣少棒獨霸世界近三十年，所以沒什麼好奇怪的。

雖然小時候看棒球，但是我對棒球的知識一點也不專業，我常常搞不清楚投手投出來的是快速球還是變化球，什麼叫二縫線或四縫線。剛開始採訪時，建仔對我提出來的問題一定覺得很沒水準，常常用三字真言來打發：「不錯呀」、「還好呀」、「不會呀」等等，對於他的惜字如金，我也感到很頭痛，所以在前兩年，採訪建仔在洋基的比賽比較像是例行公事。

一直到我在《中國時報》開了專欄，一切都改觀了。

我從沒有想過我可以寫棒球，但是開始寫了才知道棒球的魅力，你可以用歷史學的角度描述它，以數學的角度分析它，從心理學的角度探討它，或以社會學的角度解剖它，不管從哪一個點切入，都像取之不盡的寶藏。

我一向對人文觀察有興趣，因此就開始用這個點來切入，然後越寫越有興趣，到了無法自拔的地步。

與其說它是一本棒球的書，不如說它是一本有關人性的書。藉由建仔，我看到他所處的環境：一個完全信奉資本主義、適者生存的世界。而隨著他

的崛起、受挫與重生，我看到了人性的堅強與脆弱，就像我們每一個人都會有的美麗與哀愁。

建仔在棒球場上的成就，大家耳熟能詳，他帶給台灣的光與熱，更是前所未有，不需我贅述。但是我覺得人性最偉大的地方，在於如何從挫折中認識自己，進而提升自己，所以書中節錄的篇章，主要是環繞在一個從台南來的年輕人如何在世界舞台中找到自己的定位，如何在現實與殘酷中自處，又如何在跌倒之後爬起再創高峰與神話。建仔在挑戰的，就是本書的書名，一個不可能中的可能。

我第一個要感謝的就是王建民先生，沒有他的努力與成就，我不會有長期採訪大聯盟的機會。然後就是《中國時報》熊昌成主任的支持以及體育記者李弘斌的校閱，另外還有中視各級長官的同意與鼓勵，以及所有參與編輯和攝影的前輩們，沒有你們的協助，不會有這本書。

最後我將此書獻給所有熱愛棒球的人，不管你（妳）喜不喜歡或贊不贊同我的觀點，但是有一點是共通的，就是我們的心靈都為之擄獲，並引以為傲。

建仔專注看著龔邦華（右）的專欄文章。圖片提供／龔邦華

第一章

一個不簡單的人

許多人以爲王建民只是個很單純的人。建仔的確有他很簡單與純眞的一面，但是同時也是觀察敏銳、內心敏感的人，在不同的層面上，會展現出不同的層次。有時候直來直往，就像是他的快速球。有時候很拐彎抹角，像他的滑球。有時候莫測高深，像他的變速球。眞正的王建民是百變多端的。必須看是什麼樣狀況，什麼樣的他才會跑出來。在我看來，建仔的個性，是除了球技之外，在大聯盟生存最厲害的武器，同時也是他最大的弱點。

冷血與安靜

外界在形容王建民的時候，經常用到的一個形容詞，就是他很冷靜。其實把這兩個字拆開來看，最能表達王建民的個性，就是他既冷又靜。升上大聯盟除了靠球技，事實上，王建民又冷又靜的個性成為他最大的武器。

紐約是個臥虎藏龍的地方，大概沒有任何大聯盟的隊伍像洋基一樣充斥了這麼多的明星級人物，這些球星們不是你想靠近就有用的，而這些老大哥們對於新升上來的菜鳥，大多會觀察一番。但是真正最會冷眼旁觀的，其實是王建民。

說王建民冷不是說他沒有感情，而是指他有看到事情本質的能力。每次問他在大聯盟打球的感覺、感想這些問題，他都會說，在美國打職業棒球只不過是討一份工作。也就是看得很冷，也看得很根本。對他來說，最重要的就是把自己份內工作做好，就這麼簡單。

除此之外，洋基內部發生跟他投球無關的諸多事情，對他來說並不是特別重要。知道也好，不知道也罷。各種蜚短流長都到不了他那裡。要是記者跟他提起，最常反應就是：「是喔？」

有一次問他看電影會不會流淚，他說不會。「看電影沒有哭過嗎？」建仔說：「沒有。」「為什麼呢？」我問，「因為你明明都知道是假的呀！為什麼還要哭？」建仔直來直往地，問得我一時間說不出話來。因為一般人即使知道是虛構的故事，還是願意讓情緒隨著劇情起伏。但是建仔不一樣，他還是冷冷地完全置身事外。

所以他最喜歡看的是恐怖片。喜歡的原因不是因為可以體驗驚險，而是可以觀察這些電影怎麼樣操作、用什麼樣的方式去嚇人。也就是說，建仔把自己當作完全的旁觀者，把自己從情境中抽離，所以他常說自己冷血，其實就是在形容自己不受外在影響與左右的一種能力。

正因為如此，他把名氣這件事看得很淡。他知道是因為成績好，才會有

建仔為台灣棒球好手開啟一條通往大聯盟的路。　攝影／許振輝

名，這是隨之而來的附加價值。因此不會輕易隨著外界加諸給他的榮耀與期望起舞，情緒自然不會輕易起伏。以一個這麼年輕的小伙子來說，他展現了少見的洞穿事物的能力。

另外王建民真的很安靜。雖然他不多說話，事實上他還是在觀察，而且觀察能力一流。張伯倫就曾說：「不要看王很安靜，他的觀察力超強（He observes at a different level.）。」有一次我拿一段畫面給建仔看，是某位女記者問他中指受傷的問題時，無意識地也比起中指來。這樣好像是對著建仔比了一個不太雅觀的手勢，非常地爆笑。因為沒有拍到臉，這位女記者想賴皮，就說不是她。王建民馬上說，可是畫面中的戒指和妳現在戴的一模一樣耶。我聽了大為佩服。因為那個畫面不過閃了兩秒鐘，他卻什麼都注意到了。

建仔說是小時候被訓練的。「那時候教練都很嚴，規定很多，不能這樣，不能那樣。為了要留下來打球，必須學會看臉色。」建仔這番話，一聽就知道他是那種乖乖牌，但不是乖得遲鈍，而是乖得敏感。

王建民對周遭環境非常注意並且默默吸收。這種話雖不多但善於觀察的能力幫助他在最難生存的紐約洋基隊獨善其身。套句老美的話，可以在不被雷達掃到的情形下成長茁壯（Able to grow under the radar.），所以來到洋基這個很多球員都生存得不好的地方，王建民卻適應得很好，在一個荊棘遍布錯綜複雜的環境中，他像是一道冷泉，流得靜、流得深、流得遠。雖然有時會被忽略，但是沒有人敢忽視那股沉默的力量。

內心在燃燒

雖然外表安靜，但是建仔的內心常常是在燃燒的。這句話，出自於鈴木一朗之口。我覺得要形容建仔，沒有比這句話說得更簡短與有力的了。

那場建仔幾乎要達成的完全比賽是面對水手隊，後來雖然在第八局破功，但是大家都見識到建仔沉球的威力。記得一朗有一次揮棒打建仔的球，結果球幾乎沒有怎麼滾動就定住在草坪上。賽後我進去更衣室找一朗，想知道他對建仔的看法。他面向置物櫃坐著，後面擠著一群亞洲記者，大家都是側耳傾聽，像是群小嘍囉圍著大哥聽訓般。心想：哇，他真大牌。接受訪問不但坐著，而且對記者們看也不看一眼。

沒多久，日本記者散了，輪到外國媒體採訪。他的翻譯跑過來說，一朗通常不接受電視記者訪問。我說那就不上鏡問幾個問題吧，一朗起身轉而面向我，兩眼直視，眼神銳利。在某方面來說，一朗是和建仔完全相反的類型。一個是自傲與好辯，一個是謙虛與寡言。

我問他對建仔的看法，一朗透過翻譯回答說：「王雖然外表很安靜，但是內心在燃燒，是我滿喜歡的那種類型。」這麼簡單兩句話，卻有神來之筆。後來我把這句話告訴建仔，他說：「喔，是這樣說的嗎？」但是沒有反駁。問他認為一朗的這句話是什麼意思呢？建仔說：「就是想贏球吧！」所以建仔外表雖然很安靜，但是對他相當在意的事物是很執著的。所謂的內心在燃燒，反映出一種強烈求勝的渴望。

所以建仔不是沒有情緒，只是很少將情緒示人而已。這一點在美國這個講求表達自己的社會，常被解讀為「王建民極為冷靜，從來不緊張。」事實上，外表看不出，並不代表內心沒有，這一點亞洲人比較能理解。記得我在建仔要投季後賽之前問隊友松井秀喜，「你看王建民會不會緊張？」松井回答得很妙：「王看不出會緊張，所以應該是沒問題吧。」松井用的字是看不出，不是不會。這一句話，其實與一朗有異曲同工之妙，那就是表面的風平浪靜，不代表深處沒有暗潮洶湧。

一般的小情緒，建仔基本上都是悶在心理，也可以壓制下來，不習慣、也不善於表達，但是壓制型的火山總會有爆發的時候。一次就是面對國民隊最後把勝投搞砸，走回休息區時怒丟手套，弄到教頭托瑞都前來安慰。一次就是對上多倫多藍鳥隊被打爆，被拍到在走廊踢東西。這些平常不會出現的畫面，一旦出現了，震撼力特別大。讓外界有機會得以一窺建仔的內心世界。

而建仔的內心世界，至少在場上的時候，正如一朗所說的，表面上毫無表情，但是內心卻很澎湃。那就是外表如冰，內心如火。

超級慢郎中

不管內心的火是怎樣地燒，建仔在行動上，卻可以用一個字形容，就是慢。建仔在很多地方還真是有夠慢。走路慢、動作慢、回答慢，做什麼都是慢條斯里。

每次投完一局，建仔從場上走回休息區那種懶洋洋的步伐，與在場上的英姿截然不同。比賽完進去淋浴室到走出來的時間，也是隊上數一數二的慢。每次作賽後訪問，大家都有心理準備，那就是要耐心等。常常覺得等建仔的訪問好像每次都要等到地老天荒。不知道到底他在裡面磨什麼，不就是沖個澡嗎？眼看球員一個個走出來，建仔呢？老是排倒數最後幾名。

另外，碰到不好回答的問題，建仔總是要拖個一陣子才會有答案。有一次一位同業告訴我，他問了一個建仔可能不太想回答的問題，但是為了要有答案，他和建仔兩人比耐力。問題問了以後看建仔沒出聲，他也不找話說，兩人之間將近兩分多鐘的沉默，最後建仔終於開腔，他也終於有了答案。

這還真的要耐得住煎熬，碰上這種情形通常都是皇帝不急、急死太監。有一回連建仔都受不了自己的動作慢，就是二〇〇七年建仔替洋基拿下季後賽的門票，後來在休息室與隊友互灑香檳的時候。

那年建仔又拿下十九勝，自然是隊上的大功臣。人緣好的建仔不斷受到隊

友的香檳攻勢，看著建仔不斷遭到襲擊，台灣媒體記者們在旁鼓譟要建仔快點回敬。建仔拿起了一瓶香檳，但是開香檳的動作超慢，就在這期間又被隊友猛攻了好幾回。這會兒建仔終於忍不住自言自語說：「我怎麼這麼慢呢？」站在旁邊的我忍不住跟他說：「這下你知道了喔？」

場下的慢郎中到了場上又是另外一個人。有一次調侃他動作慢，他馬上回說：「可是我球速很快耶！」這就是我說的，有時候建仔又會讓你覺得他反應快得有點嚇人，這點還真沒錯。我想起基德瑞說過建仔快速球沒問題，該多練慢速變化球，但是球速好像就是慢不下來，這一點建仔也有點小小地苦惱。他說看著別的投手的慢速球，心裡就會想他們怎麼都可以投的那麼慢，不知道自己為什麼快速球與慢速球間的速差就是不夠大。

另外建仔別的都不急，但是呢？每次受傷，就會急著想上場。不管是腳傷還是手傷才剛剛好的時候，總會說：「我好像都好了，我想可以投球了。」那種迫不及待想上場的急切與平時的慢工出細活形成強烈的反比。

感覺上除了場上以外的事情，建仔都是懶洋洋的，這樣也好那樣也罷，什麼都是慢慢來。但是跟投球有關的，他比誰都還要急。所以當壘上有人，建仔也有急於解決打者的傾向；還有受傷的時候，他比誰都急著想上場。但是因為表面上看不出來，建仔心急的一面外界比較難以知悉，但是卻在他跑壘受傷到肩膀受傷的過程中扮演了催化的角色。

固執不善變

建仔不只動作慢，與人的交往上也要花時間，基本上他是個非常慢熟的人。不管是與媒體還是隊友，都要花上一段時間才能夠得到他的信任與友誼。剛開始採訪建仔的時候，可以馬上感覺到他對不太熟的媒體基本上戒心是很大的，也會保持相當的距離。要一段時日之後，他才會漸漸解凍，應對才會比較自然一些。所以跑建仔久一點的媒體都知道，同一個問題問建仔，要看是誰問，比較熟的記者，建仔會多說一些，不熟的呢，就可能極為簡短。

但是一旦他願意接受某個人，也就不會輕易地改變。從一件事就可以看出來。

記者和球迷都知道建仔把克萊門斯當偶像，後來因為禁藥問題克萊門斯涉及作偽證，連國會都促請聯邦調查局調查。這位偶像面臨人生最大難關，我很好奇，在此情形下建仔對老克的看法有無改變？

米契爾禁藥報告發表時建仔在台灣，我問他聽到消息有沒有很訝異？他說：「可是好像二〇〇五年才開始禁那些藥不是嗎？」然後我跟他解釋，現在老克面臨的不是違法用藥，而是有無在宣誓下撒謊。若有證據發現他作偽證，就會有牢獄之災。

聽我這麼說，建仔沉默了一下，然後說：「可是他還是我的偶像啊！因為他投球真的很棒。」「所以你認為這件事和那件事是兩回事囉？」建仔說：「對！他永遠是我的偶像。」

建仔的回答我不訝異，他看這件事的出發點與一般人不同。

建仔並不是贊同克萊門斯的行為，他只是點出當年這些藥並不違法。他可能跟大多數沉默的球員一樣，覺得老克可能沒說實話，但也沒有因此背棄其偶像。對他來說只是單純地欣賞並崇拜老克的球技，就這麼簡單。

雖然在有無撒謊這一點，一般美國人看法很統一。亦即作偽證就觸法，不可原諒。不過對建仔來說，他是因看到克萊門斯在球場上威風八面，進而對大聯盟產生嚮往，來到洋基後居然又和老克成為隊友。在建仔心裡，老克在其棒球人生中扮演一個夢想成真的存在。不管有無用藥，有無作偽證，都不準備唾棄他。

這是建仔不世故也不太受外界影響的地方；同樣的，建仔喜不喜歡誰，和隊友知名度的高低，或是媒體的大小一點關係也沒有。他不會因為這個記者代表的媒體比較有影響力就比較親近他，完全是看相處的感覺來決定。一旦覺得感覺不錯，也不會輕易改變。同樣的，要是覺得相處不是那麼自然，那麼當初的印象也難以改觀。但是基本上他不太會明顯地表現好惡，該有的禮貌都會有，但是那種距離很難跨越。這方面他展現了比較固執的一面。

認真與負責

建仔執著的個性表現在他的工作態度上最明顯。簡單地說，建仔是那種最

好的員工，交待他做的事，他一定做到百分百。絕對不會偷工減料。要他八點到，他一定七點半就來了。要他練重量一百下，他可能會做到一百一。就算是大家分工，要他多做一點，他一定不會埋怨或計較，也不用別人來催促或緊盯。前教頭托瑞離開洋基時就告訴後任總教練吉拉迪，你根本不用去管理王建民，他會自己管理他自己。也就是說，做為一個教頭，你完全不用去煩心。

事實上建仔在洋基的地位，很快地從菜鳥上升到王牌。但是他對自己在球隊上真正的核心價值非常地清楚，那就是他知道對球隊做出整體貢獻，不完全是用個人的勝投數來定義，而是在於他一個人就可以撐下許多的局數。在於只要他上場，球隊就有機會去贏球。建仔心理很清楚，這才是真正會贏得隊友尊敬的地方。

有一次在完投九局之後，投手教練基德瑞就說，現在球團裡有人開始替王建民加了新的封號，接著假裝認真地說：「因為他完投九局，我們現在得尊稱他『王先生』（Mr. Wang）！」這句話雖有半開玩笑的成分，卻足以說明王建民在隊友間的分量直線上升。

因為棒球在美國是極具傳統的運動，不管現在的大聯盟如何演變，球員拿

攝影／許振輝

多少錢，基本上「藍領工作倫理」（Blue Collar Work Ethic）還是主要的核心價值。這種藍領工作倫理說白一點就是要把自己份內的工作做好，不要別人來擦屁股。媒體捧是一回事，唯有得到一起奮戰的兄弟尊敬，才是真正的肯定。而你的隊友不是用年薪或者知名度來評價你，而是看你有沒有遵守工作倫理，有沒有帶領球隊。

不管外界怎麼看王建民在大聯盟的地位，建仔最常掛在嘴邊的一句話，就是自己要把自己份內的工作做好。這句話，他不是隨便說說的，而是非常認真的。王建民的工作倫理表現在他總是早到，總是任勞不抱怨，並且盡可能做出最大的貢獻。贏球可以贏得很累，也可以贏得輕鬆，只要王建民上場大家就可以鬆一口氣，可以預測他至少投個六局以上，教練調度不用太傷腦筋，牛棚也不會太勞累；打擊方面，隊友可能只要打個幾分就有希望獲勝，全隊壓力相對減輕，這就是「帶領球隊」，也是王建民在隊上最大的價值所在。

所以即使已經到了所謂王牌的地位，但是他對這個稱謂，並沒有多大的感覺，也並不會因此沾沾自喜。不管怎麼問他，他的回答都一樣，不過是把自己份內作好。這一點，建仔不是故作謙虛，他是真正這麼覺得。認真負責這四個字，建仔是身體力行，從不打折扣。不管他在高處，還是在低點，都始終如一。

骨子裡好強

建仔給外在的感覺就是一個謙虛實在的人，沒有任何的驕氣，但是在內心卻十分地好強。就像英文Pride這個字，可以翻成自傲也可以翻成自尊，建仔不是自傲的人，但是他自尊心很強。

這一點，隊友穆西納看在眼裡。在洋基投手群中，穆西納是有名的一身傲骨。有一次對紅襪的兩場比賽之後，棒球評論家都在說，要是穆西納願意保送拉米瑞茲，可能會多贏兩場。可是穆西納就是不願意閃躲，硬是正面對決，結果是輸了比賽。

穆帥同時也是一個非常難接近的人。他的球風跟他的人一樣，永遠在面對自己。如果他投得好，他不會吝於稱讚自己。要是投得不好，也沒有人會比他對自己更嚴厲。要是想聽最誠實、最一針見血的意見，問穆帥準沒錯。

當大家都在迷張伯倫，只有穆西納會這樣說：「他是不錯，快速球很厲害。但是我投了十八年，我希望十八年後這小子還在這裡。」我有一次斗膽問穆西納：「你不是那種很容易對一個人這麼好的人，為什麼這麼照顧王建民？」穆帥說：「妳看現在這些年輕投手，像張伯倫他們，嘰嘰喳喳的。當年我剛上大聯盟的時候，只管把自己的事做好，不會特別去引人注意。王建民也是一樣，他也是把該自己做的事做好，跟我當年一樣。」

穆帥看到的就是王建民和他一樣，非常有「Pride」。王建民雖然沒什麼傲氣，自尊心卻一點也不輸人。但是正因為自尊心強，所以成功是理所當然，失敗卻不可原諒，好處是建仔贏球時不會過於自滿；但是要是輸球，有如自尊心受傷，有時候會不放過自己，很難馬上忘記或開懷，會反覆地去想、去檢討，要是連著兩場輸球，那麼就有可能會陷入某種程度的自我折磨中。

有如姜太公

或許跟自尊心強有點連帶的關係，建仔是不太求人的，這種不求的態度充分展現在對外交友的態度上。也就是說，建仔從來不會主動去親近誰，他的交友態度是標準的姜太公釣魚，願者上勾。

有趣的是，這種態度偏偏在洋基很有效。像吉特這些大牌球星，這些名人不是你想去親近就做得到的。反而是要他們看得上你，自己主動來接近你才有用。

A-Rod這位棒球金童，可是說是自視甚高出了名。但是對王卻很友善，連建仔都說：「嗯，A-Rod對我還真不錯。他會提醒要注意打者。」穆西納呢，眼睛可以說是長在頭頂上，但是只要建仔有需要，他就會到牛棚幫建仔喬姿勢。

不過真正會在生活面上也照顧建仔的，一開始時是洋基前牛棚投手麥爾

斯。在大聯盟，比較年長、生涯接近尾聲的球員，常常是看中哪位年輕球員就會take them under their wings（把他們保護在羽翼下），也就是當起大哥，照顧他們。麥爾斯比王建民大十一歲，看王建民覺得很對味，就自動自發地開始照顧起王來。

麥爾斯最常做的就是帶王建民去吃東西，讓他品嚐各種不同的食物，或是看建仔身上穿來穿去就那幾件，便帶他去買衣服。大家最熟悉的就是那次到巴爾的摩打球，麥爾斯帶王建民去吃馬里蘭洲最有名的藍蟹，結果王建民過敏長疹子，以致先發那天必須在發癢的狀況下投球。

另外在客場打球時，信仰虔誠的派提特，則喜歡找建仔參加靈修的課程。雖然建仔坦承聽不太懂，也無法參與討論，但是只要派提特有邀約，建仔會乖乖地在早上爬起來去參加。後來老派的好友克萊門斯離開洋基後，派提特有時也會邀建仔外出吃中飯。

後來隊上來了個超級活寶張伯倫，小張一來就開始黏上建仔，讓建仔增加不少樂趣。兩人是悶騷的互補，在他的刺激下，建仔也活潑了起來，常常看到兩人在球場上鬧來鬧去的。不過這樣的關係後來有些變化，當沙巴西亞加入洋基後，明顯感覺小張有點琵琶別抱，但是建仔也並不寂寞，因為多了一位柏奈特。

建仔在外場打球時都會坐球隊提供的巴士，但是喜歡早一點到球場準備的柏奈特常會主動帶建仔前往，建仔進傷兵名單後，他也是不時傳簡訊給建仔，關心他與鼓勵他。

但是不管如何，建仔都是扮演一個被接近的角色，如果這些隊友不約他，他決不會主動去找他們。如果他們不跟他連絡，建仔也不會去維持關係。在交友這方面，建仔相當看得開。有也好、沒有也罷，甚至給人的感覺是，他似乎沒有太多這方面的需要。

崇尚權威

不主動交友的建仔在與隊友的應對上，完全遵守亞洲文化的教導，也就是謹守分寸，尊敬前輩。建仔的棒球啟蒙在台灣，是在絕對服從的棒球環境下長

大，從小被訓練要聽話，尤其是大人的話。

所以如果是年長前輩說的話，建仔絕對乖乖照做，就算有點小小的懷疑，建仔也不會提出來。這種尊敬長輩的態度，在他與捕手波沙達的關係上表現得最為明顯。

採訪洋基的記者都知道，波沙達是有名的強勢。他認為投手應該照著他所打的暗號來投球，所以要是也碰上很強勢的投手，兩邊意見不同的時候，就會有一些衝突。所以後來穆西納、柏奈特都傳出和波沙達不和。

建仔因為覺得自己是後進的關係，只要是波沙達打出的暗號，就算建仔不贊同，但是很少去否決它。有一次亞伯拉罕就跟建仔說：「要是不同意波沙達的配球，你可以說不，因為你才是投手。」但是建仔聽了還是猛搖頭說：「這樣不好吧。」

像對水手那場幾乎要完成的完全比賽，那天建仔的沉球特別犀利，不知怎的到了第八局，波沙達居然要建仔投個變速球，建仔也沒有去質疑他，結果在第八局被擊出了安打，完全比賽就這麼飛了。後來問他為什麼不搖頭，建仔說：「整場都沒有投變速球，投一顆也不錯呀。」沒拿到完全比賽的建仔沒怎麼太沮喪，反而是波沙達在賽後坦言自己晚上可能睡不著了。因為他知道，是他要建仔投那顆球的。

來到洋基，建仔在心理上一開始就把自己定位在後進。這樣的自我定位，並沒有隨著後來身價高漲有太多的改變。他還是習慣地服從與尊敬年長的隊友。讓建仔真正服氣會去請益的對象，不是穆西納就是派提特，另外還有後來的柏奈特。這些大哥們講的話，建仔多半都會聽，他也比較習慣扮演小老弟的角色。

對於當大哥這一點，建仔沒有興趣，也做不出來。因為這和他本身的個性不符。不管在隊上的角色提升到什麼程度，在自我角色扮演的層次上建仔沒有隨之改變，也不認為自己有轉換的必要。

老二哲學

所以即使建仔在洋基的那兩年已是第一先發，但是舉手投足，有時候還是很像新報到的菜鳥。對於王牌的稱謂，建仔本人是沒有太多感覺的，對於國人稱他為台灣之光，他沒有特別欣喜，但也不感討厭。他只是覺得，這完全是外界加諸在自己身上的名稱。別人要怎麼去形容你，你沒有辦法控制，但是因為出發點是好意，建仔可以了解，但不見得打從心理去認同。

對於建仔來說，位居第一可能不如位居第二來得自在些。一來壓力沒有那麼大，二來鎂光燈的焦點也不會在他身上。簡單地說，就是中國人的老二哲學。有一次建仔在連贏兩場球後，美國媒體在第二天的報導反而著重在上來救援、只投兩局的張伯倫上，不管是新聞還是專欄，整體而言要比先發六局的王建民要多得多，這一點建仔也注意到了，但是他不但不在意，還說這樣比較好，說的時候是帶著笑意的，沒有因為這樣有任何不開心。

反而是外人有時會替建仔抱不平，像張伯倫就認為外界對建仔良好的表現已經變得有點理所當然，覺得他應該就是這麼好。也就是說，建仔這種不喜出鋒頭的態度在美國這個崇尚英雄主義的社會，到後來就延伸出一種自然的效應，亦即外界會容易並且習慣性地去忽略他。

事實上，對於美國媒體來說建仔是一位最沒有光環與爭議的王牌。大家都喜歡他，如果對他有任何的抱怨，那就是話太少訪問不好做如此而已。也正因為如此，很自然地，建仔少了一些大量曝光的機會

有一次在洗手間碰到YES電視台場邊記者金柏莉・瓊斯。她跟我說：「王投得棒極了，有時候我實在好想在賽後把王拉到場邊做現場訪問，可是他都回絕了。我想他需要有個翻譯在旁邊比較自在吧，可是又沒有。」她搖搖頭說：「很可惜，他長得又那麼帥。可是他不想，我也不能怎樣。」

金柏莉說到一個重點，就是建仔是真的不在意，所以當洋基高價挖來了沙巴西亞和柏奈特兩位投手後，外界把焦點放在排名上面，但是問建仔，他不過

淡淡一句：「不就是五天上場一次嗎？」言下之意，大家機會均等，沒什麼好爭的。

建仔從來就不喜歡「第一」所伴隨而來的壓力與光環。對他來說，當老二要舒服與自在多了。也因為奉行老二哲學，雖然是隊上的第一號先發，但是整體而言，建仔並不能算上是一個領導者。

重情不感性

幾乎從不流淚的建仔，不是一個感性的人，他也很少感動過。有一次問他最感動的時刻是什麼？想了半天，建仔說沒有。不過沒有特別感動的時刻，不代表建仔對人沒有感情。

洋基決定要啟用新球場之後，接近老球場最後熄燈的那幾天，休息室氣氛有一種感傷，很多隊友都準備了一個盒子，裡面裝滿球，希望在舊球場停用的歷史時刻留下全隊的名字，所以大家輪流簽。問建仔有沒有準備一盒？建仔搖搖頭表示：「沒有，因為隊上的人換來換去的。」

從這個地方可以看得出來，建仔不重場面而重實質的個性。要實質與隊友有某種情感上的連結，才會想要他們的簽名球。沒有特別感覺的人，要來也沒什麼意義。

大部分球員想從老球場帶回去做紀念的東西，都比較有指標性或象徵性意義，但是建仔想帶回去的東西，除了自己常用的置物櫃之外，居然是個老磅秤，因為這兩樣東西都是他常常用到，且與生活上有連結的物品。

問他對舊球場的哪一個地方會最為懷念？建仔開始想，想了滿久的才說是右外野，也是因為那是他常常練習的地方，所以才會有回憶。

看得出來，他可能對場所這一點沒有特別的執著，所以靈機一動地問他是不是對人會比較懷念，建仔馬上說：「對呀，場所不過是場所，不是嗎？」然後建仔很自然地說出最懷念的是那一段在托瑞麾下的時光，對於之前的教練團隊頗為想念。

問建仔對哪場比賽印象最深刻，問了半天沒有肯定答案，賽後建仔繞著球場走了一圈，進行對舊球場的最後巡禮後感覺回來了。他說在繞場的時候，看

到滿場觀眾如雷的掌聲時，他想起大聯盟初登板第七局結束退場時觀眾給他的掌聲。然後說：「嗯，要離開這個球場，還真捨不得。」捨不得這三個字，是不善表達情感的建仔少有的發言，因為現場球迷讓他回憶起那個時刻，這也是與人有關。

想起觀眾給他的掌聲這個回答，是建仔在告別老球場時最深刻的記憶。那是一個美好時刻，是來自球迷正面與積極的鼓勵。這個記憶將永遠伴隨著他。

特有幽默感

建仔的個性雖然悶，但是呢，卻有獨特的幽默感。要是有人去鬧他，常常會有意想不到的反應，所以大家特別愛逗他，建仔不但不生氣，還很會自我解嘲，這點讓建仔在隊上人緣特別好，在美國社會，這是最容易打入群體的方式。

最喜歡鬧建仔的是洋基前三壘教練波瓦，有時叫建仔「Madam」，不然就用「She」來稱呼。這是波瓦表達喜歡建仔的方式，而目前人在道奇的波瓦也是建仔最懷念的人之一。

洋基隊長吉特呢，則喜歡用自己的方式叫建仔。王不叫「Wang」，而叫「Wanger」（發起來像When呢）。建仔則會回他一個Gi（吉），並且把尾音拉長，這是兩人打招呼的方式。

嘴巴愛吃豆腐的還包括阿布瑞尤，他的置物櫃就在建仔右邊。有次阿布瑞尤一走進休息室就對建仔說：「Hi, Sweetheart!」（哈囉，甜心）看到我裝著要昏倒的表情，建仔還有點小小得意說：「他都是這樣叫我耶！」

張伯倫更誇張，不只動嘴，還動手。很多建仔迷都看過張伯倫牽建仔手的照片。還有更過分的，有一次在休息室和建仔聊天，張伯倫知道建仔腳傷動彈不得，走過來一手就往建仔胸部抓下去。我隨口問他到底是什麼情結？張伯倫認真的答說：「我有胸部情結呀！我從小就沒媽。」建仔被這樣上下其手，就會苦笑做出又被欺負了的表情，讓大家更想去逗他。

還有不要看松井秀喜正經八百，有一次建仔在看球迷來信，有一封信上貼著滿滿貼紙，有日本卡通人物，還有建仔拍的牛奶廣告。我看到日本卡通覺得

好玩，就拿去給松井看，沒想到松井對建仔那張嬰兒肥的廣告更有興趣，二話不說就撕下來。我問他要幹嘛？松井說要給吉特。後來吉特貼在置物櫃上，要經過的人看建仔的嬰兒肥。建仔就被大家笑小時候很有肉，到後來只好脹紅著臉（不是生氣而是不好意思）向吉特要了回來。

基本上，在休息室中，大家都很愛去鬧建仔，他呢？則是用意想不到的回應讓鬧他的人很有成就感，因此建仔是少見居於最高王牌地位的同時，卻沒有一個敵人存在。

默默行善

不喜歡炫耀的建仔做善事也是從來不向外界提起。建仔參加洋基新鐵路車站破土典禮的消息，是紐約都會區華文報紙記者正巧聽到告訴大家的。這個活動連洋基的公關們事前都不太知情，因為這是由洋基大老闆喬治·史坦布瑞納的特別助理雷·尼格隆直接安排的。

王建民和前洋基隊友維隆一起探視癌症病童。　圖片提供／雷・尼格隆

雷有史坦布瑞納的充分授權，專門挑選洋基球員對外做些公關活動。其中最主要的部分其實是到醫院探視罹患癌症的兒童。因為史坦布瑞納對兒童特別有憐憫愛惜之心。

典禮後，在球員休息室碰到雷。我才提了一個字「王」，他就滔滔不絕地開始說：「喔，我最喜歡王建民。」他說大家常問他最喜歡哪位洋基球員，當他回答是王的時候，許多人都不解，這麼多明星球員為什麼他最中意王呢。雷開始自問自答說：「因為，只要找他去做慈善活動，他從沒拒絕過，一次都沒有。」然後他又說：「你知道嗎？王可不是做做樣子而已，他每次去探視癌症兒童，都是一間間病房去，很有耐心地跟小朋友話家常，小孩們都愛死他了。現在我找球員做類似的活動，王建民是我第一人選，再來才是坎諾、維隆，我真希望多一點球員像他這樣。」

為什麼雷這樣說呢？因為雷之前曾預先安排好王建民在〇六年的九月二十七日去探視病童，沒想到後來那天王建民不但要投球，還是挑戰個人的十九勝。但是王建民還是在比賽前依約前往，大老闆知道以後對雷大發脾氣。還好後來王建民贏球，另外醫院又頒了感謝狀給史坦布瑞納，大老闆的氣才消。雷說：「你看，這顯示王建民的人品。他知道很多小朋友病得很重，很希望他去，他把這件事看得與投球同樣重要。」

令人納悶的是，為什麼建民做的這些好事都沒有見諸報導。對於我的疑問，王建民很認真的說：「因為你們都不知道呀！」（天真的回答真是讓人絕倒）。至於明明知道當天要投球，為什麼還去醫院？不怕投不好嗎？他想了一下說：「因為是做好事，為什麼不去呢？」

我可以感覺到他回答這些問題時非常不自在，因為他不是那種善於自我吹噓的人，可是擁有這一面的王建民，不輸給他在球場上給人的感動。

在美國社會，有沒有從事慈善與公益是評價名人的重要指標。幾乎每個大球星都有自己的慈善基金會，一方面節稅，一方面回饋社會。但是在成名後，大多有專人處理。不是捐款就是舉辦募款餐會，真正身體力行去醫院探望小病患的卻不多。

那天採訪破土典禮時大家都很狐疑，為什麼這麼大的場面洋基球員中只有王建民參加。我的猜想是，王建民在慈善活動上的配合與誠懇使雷銘記在心，所以當有一個包括紐約州長以及紐約市長都會出席的場合，雷也就理所當然地

找他心目中的第一人選Chien-Ming Wang了。

政治超冷感

經過幾年磨練，建仔對媒體已應對自如；唯一不變的就是問政治的事，其反應超冷。問他任何帶有政治意味的話題，他就全身不自在；說他「政治冷感」，他也點頭承認。

我曾問他有沒注意國內對政治特別狂熱，不像美國，一般人日常生活最容易找到的共同話題就是運動。建仔像有感而發答說：「多花時間在運動上比較好。」

事實上，會保護羽毛的運動員，尤其超級明星，通常避免在政治議題表態，吉特就是有名的政治絕緣體。不是對政治議題不關心，吉特是半白半黑，對種族議題有某種程度關切。但他知道自己在球迷心目中的地位，對敏感的政治議題私底下會有所做為，但不在公開場合表態。

有一位美國右翼電台主持人曾發言侮辱美國非洲裔女籃球員，引起軒然大波。吉特曾私下寫信鼓勵女球員，但不願接受媒體訪問，以免被炒作。

以建仔在台灣的份量，那還真的超過吉特在美國的影響力。以前不用太在意，現在一舉一動都吸引全國注意，當然要特別小心。

所以政治人物來到紐約都想與建仔會面，建仔是能躲則躲，有一次一位檯面上的政治人物訪美，把與建仔見面當做重要行程，還拜託一位建仔很尊敬的人居中安排，但是最後還是沒有成功。

說真的，何必去為難他呢？要他怎麼說都不對。有趣的是，這個政治超冷感的建仔要去政治超熱感的華府，會擦出什麼樣的火花呢？非常令人期待。

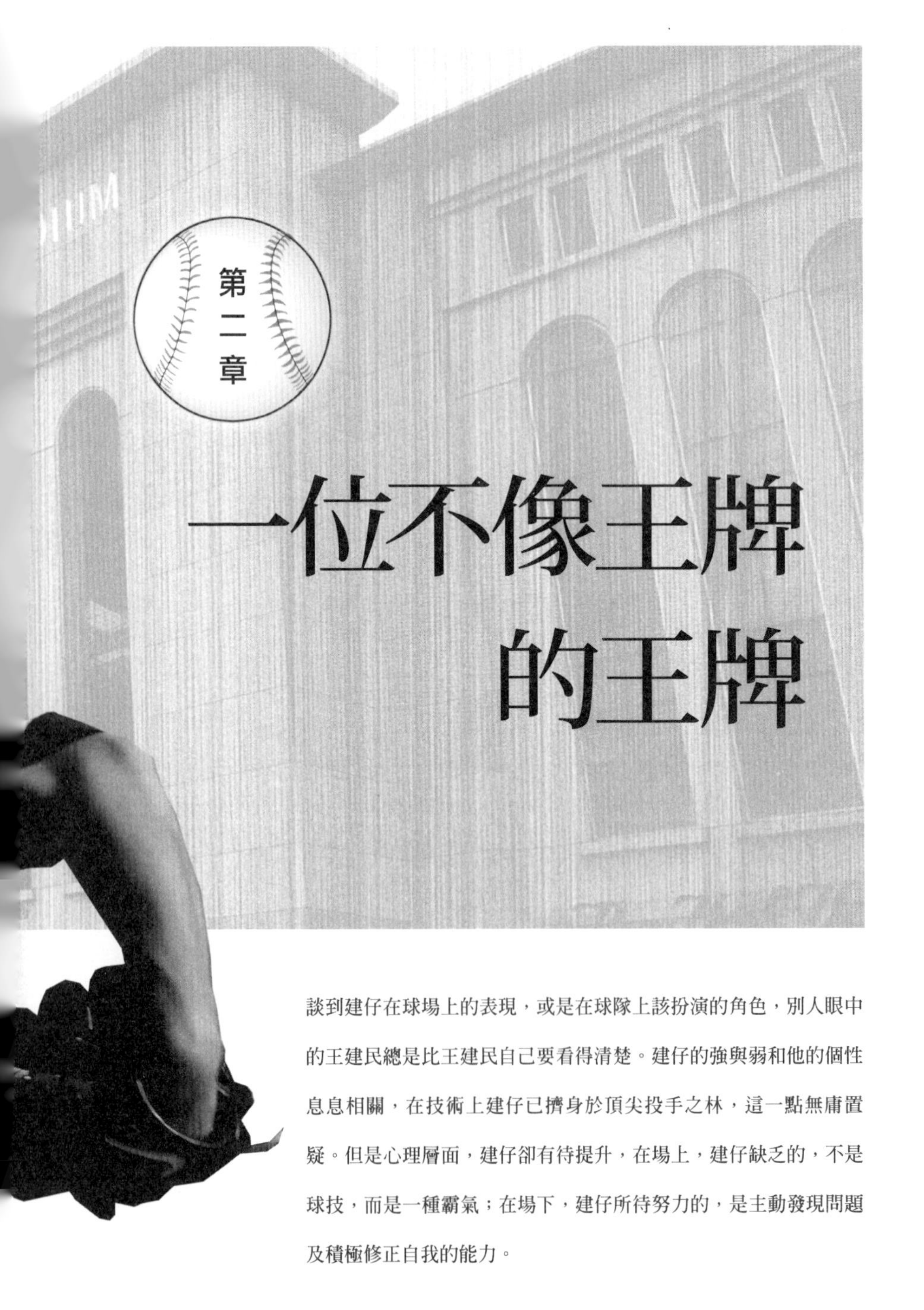

第二章

一位不像王牌的王牌

談到建仔在球場上的表現，或是在球隊上該扮演的角色，別人眼中的王建民總是比王建民自己要看得清楚。建仔的強與弱和他的個性息息相關，在技術上建仔已擠身於頂尖投手之林，這一點無庸置疑。但是心理層面，建仔卻有待提升，在場上，建仔缺乏的，不是球技，而是一種霸氣；在場下，建仔所待努力的，是主動發現問題及積極修正自我的能力。

王牌該沉默嗎？

外界對於建仔到底是不是王牌，該不該有王牌的樣子，有許多的討論。洋基的前投手教練基德瑞是愛王出了名，把調教建仔當作重點的工作，他在〇七年建仔拿下第十九勝，正好幫助洋基篤定進入季後賽慶功的那天，和建仔說了一段內心話，我沒想到他會告訴我，但是他說了。

基德瑞告訴建仔：「我為你所做到的感到十分驕傲，但是你沒拿下二十勝，我很失望。我知道你本人或許不介意，但你不知道二十勝對投手日後定位的重要性，而我知道。你連續兩年都只差一點點，很可惜。其實你有這個能力，在我心中，你是二十勝的投手。」

我問基德瑞建仔最需要改進的是什麼？基德瑞說：「我覺得是他還沒接受自己是洋基王牌這點，他已經毋庸置疑贏得第一號投手的地位，大家都這麼看他。所以你看他每次投球，隊友都特別賣力，顯示大家對他的尊敬。但他自己還沒接受這個事實，在行動上也沒有表現出來，或許是文化上的差別吧！」

「那麼你覺得這一點在洋基這個環境中，是正面還是負面呢？」「負面，因為這是洋基，這是一個弱肉強食的地方，大家都在看你怎麼表現。王已經是王牌，有時候就應該要有王牌的架式，在某些時候要站出來說話，向隊友說該說的話，像派提特、李維拉和穆西納都會。王建民要知道他現在是洋基的中流砥柱，大家是圍繞著他的，必須展現出領導的能力。」

我提出我的觀察，那就是建仔沒有真正打從心裡接受自己是王牌這一點，可能影響到他和同等級投手對決的表現，譬如紅襪的貝奇特及藍鳥的哈勒戴。基德瑞點頭說：「沒錯，因為那兩位都是老手，而且是強勢的投手，他們表現出來自己就是巨投的架式。王的球技不比他們差，但是因為不相信自己已經是王牌，在對決時的氣勢就比較弱，心理上相較下就差了一些。」

我開玩笑地說，那是不是該來個特別訓練呢？基德瑞表示，找到機會都會跟他談，但這需要時間，要他自己相信才行。至於訓人的話，基德瑞覺得要等到時機成熟，才說得出來。

基德瑞與建仔師徒情深。　　圖片提供／美聯社

我覺得基德瑞真的對建仔很特別，不知是什麼原因？基德瑞回答：「因為我知道他有多好，能有這樣能力的投手不多。洋基是個很可怕的地方，一不好就會被淘汰，就連我自己明年能否留下來都很難說。我只能在我還在這裡的時候用心調教他，因為我不知道接下來他會碰到什麼樣的教練。我常說紀錄是用來被打破的，如果能夠教出一位超越自己成就的投手，會是我最大的驕傲。」

不過基德瑞也坦承，畢竟建仔不是他。基德瑞說他自己是一個很強勢的投手，就算有被打爆，但會馬上忘掉。「我投過比他更爛的比賽，才上場一局多一點就被換下來，但三天後就投了一場完封。要當巨投就要這樣。」

接下來他感性地說：「我是有二十勝能力的投手，他現在還不知道這一點有多重要。在投手退休時，你要讓人家這樣記得你，我是過來人，所以我才這麼介意。當然他季初受傷，很可惜，不然就有二十勝了，他是有這個能力的。現在三年加起來已經四十六勝，接下來再投十年的話……」（他一面說，一面開始掐指計算。）

我有感而發地說：「王是很難超越你的。」基德瑞回答：「價值不一定只能從個人戰績計算，你去算算看，王建民投的時候不管最後有沒有拿到勝投，

球隊大多都能贏球。光就能讓球隊有機會贏球這點，就是他最有價值的地方。」

真心師徒情

說真的，做完這個訪談，內心十分地感動，最讓我感動的是那種期待愛徒「青出於藍」的心情。

談到王建民時，基德瑞說話的語調摻合著複雜的情緒，包括無比的驕傲、不少的失望、一丁點的無奈、還有些許的傷感。驕傲是因為王建民沒有辜負大家的期望，是名副其實的洋基王牌；失望的是他差一點就拿下二十勝，這是定義「巨投」的一項重要指標；無奈的是王建民過於溫良恭儉讓，傷感的是不知道能否在自己手上把王建民調教成傳人。

這一切情緒的根源是基德瑞希望愛徒比自己更好，這樣他所創下的紀錄才有存在的價值，這是何等的情操或許他有點操之過急，因為王建民還太年輕，還需要時間的磨練；或許他有點過於投射，王建民畢竟是接受亞洲文化薰陶的孩子，要教他技術容易，要改變他個性太難。但是基德瑞要王建民接受自己是王牌這一點，並不是要王建民改變對人謙虛有禮的態度，而是要強化他的心理素質，並且善盡領導者的責任。

這些苦口婆心來自於他自己是過來人，他知道要抓住現在，他深刻了解現在怎麼走這每一步，將決定未來別人怎麼來定義你，所以才會這樣一股腦地想把自己知道的東西全部傳給王建民。

基德瑞的傳人夢，因為王建民的年紀、個性，還有許多外在的因素，看起來既近且遠。但是在這個過程中，我看到了真心。當他用手指比著自己的心，兩眼看著我說：「在我心裡，王建民是二十勝的投手！」坦白說，我當時必須很努力的克制，才能不讓眼淚掉下來。

建民的回答

與基德瑞一席談話之後，感觸良多，很想知道建仔到底有沒有接受自己是王牌？這個問題第一次問建仔的時候，他的回答卻是，如果要他表現出王牌的樣子，那太臭屁了一點。但是我後來跟建仔強調，基德瑞並不是他於外在表現出王牌的樣子，而是希望他在內在接受自己是王牌的事實。

我問建仔能不能認同基德瑞的看法，王建民說：「其實每個教練都會說，站上投手丘就要覺得自己是最好的，這樣才能掌控全局。」我又問：「那你有嗎？你出場投球的時後有覺得自己是No.1嗎？」這會兒建仔以肯定的語氣說：「每場比賽一站上投手丘，就覺得自己是最好的，不能輸掉這場比賽！」

這是以謙虛著名的王建民第一次這麼直接地承認，在場上，他覺得自己的確是張王牌。但是問他覺得自己最大的弱點在哪？他也很老實地說：「大家都說我不夠霸氣。」

霸氣是一種心理上的素質，很難去培養，有的人有，有的人就是沒有，建仔知道自己是個好手，但是在場上就是缺乏霸氣，他也不知道要如何去改進，所以每次談到這個問題都沒有什麼結果與對策。

像克萊門斯就是霸氣十足，那種氣勢，往往球還沒出手就感覺得到，建仔說過他佩服克萊門斯的原因就是：「不管面對什麼樣的打者，克萊門斯都不怕。」在某方面來說，你是什麼樣的人，就是什麼樣的投手，建仔本來就不是一個氣勢滿滿的人，要他一上場就霸氣十足，恐怕也是強人所難。

也正因為如此，建仔也不認為自己必須在球隊上扮演領導者，在必要的時候必須激勵隊友，建仔的看法是，每個人應該把自己該做的工作做好，這樣不就好了嗎？建仔處世哲學接近獨善其身，對他來說，他只管把球投好，其他的都不在他的責任範圍。基德瑞的期許，很坦白地說，根本超出了建仔個性與能力上的範疇。

隊友的看法

這個問題，從隊友的反應也可以一窺端倪。要說洋基有領袖，那就是吉特這位公認的隊長。所以就基德瑞的這番話我請教了吉特，我問他贊不贊同基德瑞的看法，就是王有時候應該要站出來說話。反應一向超快的吉特馬上回問：「那妳要他說什麼呢？」被他這麼一問，我一時為之語塞，可是我仍不死心地追問：「妳不覺得因為文化的關係，所以王表現比較不像一般的領導者……」吉特打斷我說：「可是我還是不知道你到底要他說什麼呢？」

說真的我沒辦法回答，因為很難想像王建民站出來說話的樣子，只好問：「所以你認為王沒有什麼需要改變的囉？」吉特說：「他到目前為止非常成功，我不知道為什麼要改變。」

吉特說的沒錯，建仔默默貢獻的方式，贏得了許多人的尊敬。可是就算建仔不需要勉強自己扮演領導者的樣子，但是做為一個洋基這個隊伍的王牌投手，建仔給外界的感覺有時候好像從來都沒有脫離新報到的小弟。

一向最敢說話的布魯尼就直言：「王，他太膽怯了，他明明是隊上第一號先發，舉手投足卻像是菜鳥，好像處處怕給別人添麻煩的樣子。」

布魯尼的觀察也沒有錯，在一個位置就要適當扮演那個角色，不要過於驕傲，但也不要過於謙遜，否則都是過猶不及。建仔的問題是，當他在洋基有崇高地位時，他並沒有善盡利用那個位置可以帶來的附加價值，等到失去王牌寶座之後，才感覺自己似乎受到了冷落，但是那就是大聯盟，現實社會典型的寫照。

偉大的定義

基德瑞對建仔連續兩年沒拿下二十勝感到惋惜，而穆西納呢？說的更白，他這樣告訴建仔：「如果不能拿下二十勝，十九勝的意義不大。」

這句話，建仔承認還不太能體會。「沒有二十，十九不是也很好嗎？為什這樣說呢？」這是建仔的疑問。按帳面來看，兩者不過一勝之差；但是就意義而言卻差之千里。或許建仔的職棒生涯才開始，對於這「一勝之差差千里」，還不能感同身受。但是對一位已身經百戰的投手而言，可能都會這樣說，沒到二十，就算有十九也沒太大意思。

如果穆帥〇九年還停留在十九勝，他會是大聯盟史上唯一拿過三季十九勝卻沒有拿過二十場勝投的第一人。這也是項紀錄，只不過是一項不太正面的紀錄。給人的印象就是——「他，穆西納，是很棒的投手。不過，就是沒拿過二十勝。」也就是說，就算穆帥投了十八年，累積了兩百六十九勝，但是在外界評價上，就是差了那麼一點。

差這一點，差得還真多。這和基德瑞試圖告訴建仔的話是異曲同工。因為在大聯盟，拿過二十勝的投手可以稱之為偉大，而十九終究只是近乎偉大。他們都了解日後別人會怎麼樣來看這一點點的差別，但是建仔本人在當時沒有太多的感觸，對於歷史價值這一點，建仔似乎沒有去想過。「在大聯盟投球，」建仔說，「不過就是一份工作而已。」每次建仔這麼說的時候，我覺得建仔有點太冷，冷到缺乏熱情的程度。

一直等到建仔離開洋基後，對於他自己所塑造的光榮紀錄才開始有了不同的體會。再問他同樣的問題，他坦承有點可惜，兩年都差那麼一點點。當時的建仔或許覺得要拿二十勝的話，不過是明年再來就好了，不是嗎？在〇八年建仔跑壘受傷前，以他拿勝投的速度，真的是非常有可能的，但是現在看來，這個數字變得遙遠許多。

季後賽失利

建仔連兩年創下十九勝的佳績，使他成為隊上最值得仰賴的投手。但是他在季後賽的經驗並不是很豐富，〇七年兩場季後賽都被打爆之後，台灣媒體鼓足了勇氣問王建民為什麼投成這樣？建仔回答：「我也不知道。」通常大家會再細問，但是那天沒人忍心這麼做。一句不知道就彷彿是那短短的一局，令許多人錯愕與不解，包括王建民自己在內。

也因為這場比賽，教練托瑞丟了飯碗，所以賽後絕大部分的美國媒體去參加了托瑞的記者會，托瑞並沒有怪罪王建民，他透露了他當時在場上對王建民說的話。他解釋：「王替這個球隊拿下十九勝，and doing it with the class, that he does it, it is pretty special.（而且他是那樣有格調地贏，這是非常特別的）」這句話可以看出，除了贏球，托瑞最在意的就是Class（格調）。

托瑞自己就是非常有格調的人，大家談托瑞時最常用的一句話就是：He is so classy。除了他曾有的豐功偉業，托瑞最得人心、最受尊敬的就是這一點，一個幾乎要丟掉工作的人，在他人生最難過的時候，還想到要安慰那位敗戰投手，這就是真的格調。

在採訪建仔到尾聲時，看到投手教練基德瑞經過，我和他對望一眼，那一眼我看到了傷心與難過。他馬上回過頭去，我也沒有走向前。他走進淋浴室，直到更衣室關門都沒有走出來。第二天王建民最早去打包，出來後在停車場基德瑞給他一個大大的擁抱。後來基德瑞透露，他和王建民在停車場內談了許久。因為不確定明年是否能回來，有幾件事他認為王建民應該要繼續努力去做，他都一一交代好。

基德瑞不願和媒體分享是哪些事，但他說了句很關鍵的話。他說：「你該怎麼解決失控的局面？只有在局面失控時你才會知道。」簡單說，就是靠經驗。許多事可以教，只有經驗教不來。

一個也是不知明年是否還保得住工作的人，還想到那位讓他在季後賽最失望投手的未來，這就是所謂的真情。他們看建仔就像看一朵正在綻放的花朵，不願意它被兩陣強風給壓倒。他們也知道，重要的不是你怎麼開始而是怎麼結束。

王建民的職棒人生才起步，不能只以兩場比賽定功過。在紐約這個現實殘酷的環境中，能遇到一位有格調的總教練及充滿關愛的投手教練，是一種福氣，建仔當時已經感受到，後來洋基整個教練團大換血之後又有更深的體會。

穆帥揭真相

王建民到底在〇七年季後賽發生了什麼事？這一點很多人都想不透，尤其

後來〇八年季初建仔再碰到印地安人時，也投出佳績，因此顯然不是因為對手太強的原因。

二〇〇八年出版的*Living on the Black*（暫譯「在夾縫生存」，作者為John Feinstein）一書，對〇七年季後賽有非常生動的描述，這本書是作者跟了穆西納一整個球季之後寫下的，根據穆西納的證言，建仔的崩盤實屬非戰之罪，主要是手臂已經疲勞了。

穆帥在書中回憶季後賽第三戰前，在洋基球場與建仔的談話。那時他心中想的是，要是洋基贏了第三戰，不知誰會投第四戰。

「在連輸兩場後，我幾乎確定托瑞會要王在第四戰先發，」穆西納說：「因為王在主場投得特別好。我擔心的是，小王那時已經過度疲勞，他已經很累了（beat up, hurting, and tired）。即使他第一場沒有投太多，但我不確定讓他休息三天就上場是個好想法。」

接下來，穆帥乾脆趁第三戰打擊練習時，在外野直接問王建民：「你明天能先發嗎？（Can you start tomorrow?）」儘管王建民的英文表達能力有限，不過聽力很好，但此時穆帥認為建仔看起來很困惑。

「不，麥可（穆西納名），」王建民指著穆西納說：「明天換你投。（You pitch tomorrow.）」穆西納搖頭解釋：「我不是問你這個，我是問你，你明天真有能力投（pitch）嗎？」王建民看起來還是很困惑，因為他的理解是，第四戰應該是穆西納先發。

後來洋基贏了第三場。穆西納站在置物櫃前，總教練托瑞趁媒體還不能進來的時候告知穆西納：「王明天先發。」穆西納也告訴托瑞自己能理解這個決定。

「我是真的可以諒解，（I did understand.）」穆西納事後解釋：「王整年來都是我們最棒的投手，或許我應該反駁說，印地安人比較不會應付慢速球。但當時我覺得我沒有立場去說這樣的話，那是托瑞的決定。而他認為那是對球隊最好的決定。」

結果呢？建仔真的是力不從心，洋基提前出局。

建仔的佐證

穆帥在書中的證言。後來有了佐證。那就是在二〇〇八年球季一開始，面對美國記者詢問〇七年季後賽的崩盤，建仔用「我累了」的字眼回答。不知道是不是因為要面對薪資仲裁，到時候球團一定會把季後賽不佳的表現當做聽證會上最好的理由，所以建仔才會乾脆明說。但是不管如何，這個曝露出來的問題是，當面臨沒有子彈卻要奉命要上場時該怎麼辦？

穆帥以第三者的身分，忠實地觀察與記錄了王建民當時「將有命，兵不敢不從」的處境。即使已經在「beat up, hurting, tired」的狀態下還是要上場。顯然在這種情形下出場，對手是誰就不見得有必然的關係，所以王建民敗在印地安人手上這種表面上的看法，其實並不正確。

後來我問王建民，如果真的感覺到累了，不能說嗎？建仔的答案是當時牛棚練投時球速有出來，所以並不知道後來真的是力不從心。另外一個問題是，就算建仔那時真的有點感覺累了，以他聽話服從的個性，實在很難想像他對教練的決定會提出任何異議。

因此，一個值得探討的問題是，如果碰上這樣的狀況，投手該怎麼處理。我問穆帥，如果在相同的狀況會怎麼做？穆帥說：「我如果當時像他（建仔）一樣只是二十七歲的小伙子又輸了第一場，不管怎樣我都會想投第四戰。但如果相同狀況發生在現在（三十九歲），我可能會老實說我有點累了，不見得能應付。」

「那你覺得王自己知不知道他已經很疲勞了呢？在你問他到底有沒有能力先發時，他沒有聽懂嗎？」對於我的疑問，穆帥這樣回答：「我覺得他應該知道。我問他是不是真的可以投的時候，我覺得他事實上有聽懂我的話的，但是你知道王……」穆帥沒有再說下去，我當然知道穆帥的意思，建仔面對這種問題時，保護自己與維護他人的防衛機制馬上啟動，絕不會輕易表達自己內心最深層的想法。

聽了這番話之後我問建仔，如果以後碰到相同的情形怎麼辦？建仔老實說，就算感覺有些疲勞，但是如果教練團要他上場，他還是會說好。因為建仔在聽話之外也好強，雖然結果不見得對自己與球隊有利，但是在這種職業運動

場上，除非到了穆帥那個年紀，有了一定的成就與經驗，不然很難自己去放棄表現的機會。

我常覺得那時基德瑞因為太愛王，可能愛之足以害之，把我的感想告訴建仔，建仔想了一下說：「嗯，有可能喔。」

姿勢的問題

建仔在大聯盟表現得不管多好，但是他有一個一再重複的問題：姿勢不時會走掉。

每一位投手都有慣有的投球姿勢，從準備動作開始就五花八門，有的很普通，有的很怪異。像穆帥就是要先蹲一下，然後站起來才開始投。印地安人隊的柏德（Paul Gregory Byrd）最好玩，人如其名，要兩手像鳥狀飛一下才開始投。但是幾乎所有的名投，在姿勢固定後就非常地機械化。不管投哪種球路，姿勢通常不會改變。

洋基投手群中公認有最漂亮、最流暢投球姿勢的，就是救援投手李維拉。他的綽號叫Sandman（童話中的「睡魔」），隱喻他有最平穩的心臟，經常在最關鍵時刻救援成功，幾乎沒有什麼情形可以嚇到他，不但投球姿勢看起來一點都不費力，而且動作整齊劃一。

所以姿勢的問題，問李維拉準沒錯。我問他有沒有注意到王建民有時候姿勢會走掉，他馬上點頭說，小王的確有這個問題。那怎麼解決呢？李維拉想了一下說：「這個要靠時間。只有多練習，沒有別的。」

李維拉繼續說：「年輕的時候，球員都容易有一種現象，就是不聽身體所發送出來的訊息。明明身體已經告訴你是這樣，但是偏偏會去忽視它而做出不一樣的動作。所以，要學習聆聽身體的訊息。」

我把這段話告訴王建民，問他有沒有這種情形。他也點頭說：「對呀，有時候就是會硬要去把姿勢喬過來。」

其實像王建民這種頂級投手，練球練到爐火純青地步時，是在一種輕鬆自然的狀態中投球，幾乎像是反射動作一樣，有它一定的「mechanics, rhythm and control」（運作、節奏以及控制力）。在牛棚練球時王建民通常都可做到「聽身

體的話」，問題是能不能在比賽中也自然發揮，不用硬喬？

所以王建民有一次有感而發地說，要把在牛棚投球的姿勢與動作帶上投手丘。這一點真的是最難的。因為牛棚練投是在放鬆的環境中投球，與站在投手丘面對打者的壓力不能相提並論。

像李維拉這樣心跳不太波動的Sandman，就是具備這種能力，但這不是與生俱來，而是練就出來的。李維拉偶爾救援失敗時最常用的一句話是「I am only human!」（我也只是人呀！），用意是提醒大家，不要把「投手丘上放輕鬆」看得這麼理所當然。優秀及偉大，可能就在這一線間。

當局者迷

建仔知道他有時候投球的姿勢容易走樣，但是卻不一定知道原因在哪。這一點，穆西納認為才是建仔最大問題所在。穆西納說：「建仔在姿勢不正確的時候，並不懂得自我修正。」

穆帥說：「小王必須記得出手如果順的話，要記住那種感覺然後重複它。投手到了我們這種層次，其實要去調整的都是很細微的地方，但是雖然很細，對大聯盟的打者來說差別卻很大，有漏洞馬上會被看出來。投手當久了以後就會有自我修正的能力，這方面也花了我很長一段時間。重要的是你不能以為你懂得怎麼去投球，當一個投手以為你都懂了，你在這一行是活不久的。必須一直去學習。」

我把這段對話告訴王建民。建仔點點頭，承認他還無法自我修正，需要旁人的指點。建仔說：「我知道動作出問題，但是不知道怎麼去改，像明明知道手開掉了，但是不知道真正讓手開掉的問題出在哪裡，所以沒有辦法馬上調回來，旁觀者會看得比較清楚。」

建仔這個當局者迷的問題，顯然有重複的傾向，這一點投手教練艾蘭德也注意到了。艾蘭德說，其實建仔的問題和以前一樣，就是手臂的角度不對。「這是他的old habit（老毛病）。當球跑平的時候，他應該知道自己的姿勢出了問題，然後改回來。他有犯老毛病的習慣，只是無法馬上更正過來。」「那是為什麼呢？」我問。艾蘭德說：「這是個好問題，但是我無法回答妳。因為我

們只能告訴他問題出在哪裡，但是不能替他改過來，那還是得靠他自己。」

說真的，每次建仔姿勢走掉後問他原因，如果投手教練說是這個原因，他就會說投手教練說這樣；如果他請穆西納到牛棚幫他看問題，穆西納說是那樣，他會回答穆西納跟我說是那樣；但是建仔自己卻沒有定論。

所以就算旁觀者清的結論是建仔的問題不大，不過就是老毛病發作。問題是他在場上投球時不知道原因，自然沒有辦法修正過來，問題才會一直反覆發生。

危機處理

和姿勢的問題緊密相關的是建仔的危機處理能力。當壘上有人時，建仔會心急地去解決打者，這時候他通常特別用力去投，這樣的話姿勢當然會受到影響。所以在艾蘭德眼裡，建仔所欠缺的是危機處理的能力，他必須去學習在狀況不是最好的時候，想辦法減低傷害。

艾蘭德認為，建仔在沉球不靈的時候，應該要學會投慢速球，也要學會慢下來，但是建仔在狀況不好的時候他還是會猛丟，球反而更會亂跑。在這種時候應該投慢一點的球路。

洋基投手派提特最厲害的地方就是即使球路不犀利的時後，還是有辦法降低傷害，想盡辦法讓球隊有機會贏球。我請教了派提特的脫困術，他說：「當投手碰到這種狀況，常會try harder（更加努力投），但反而會make everything worse讓整個狀況更糟。不是說不該去擔心或是去想投出去的location（進壘點），但是應該要給打者不一樣的球路。像是投慢一點的球，如滑球或變速球等，利用速差去讓打者off balance，讓他們猜不到下一球。」

派提特說他不像王建民，有一項那麼厲害的武器。「小王的快速沉球實在了不得，當沉球犀利，他光丟沉球就夠了，就讓對手打都沒關係，反正也打不出去。但是我沒有那樣的武器，所以我常要想怎麼去解決打者。」

派提特認為，建仔在有危機的時候該要懂得如何back off（退一步）。

好好把派提特這番話回味一遍，覺得頗富哲理。一般人面對危機時的直覺反應就是會特別努力，偏偏在球場上切忌求好心切，一旦心切，狀況就容易變

糟，反而是退一步更有揮灑空間。這樣講起來在棒球場上的修行很重要，要修到面對危機時能不疾不徐、老神在在，甚至以退為進。

建仔承認他有時候就就是慢不下來。建仔的快速球和他的慢速球速差不大，當沉球發威時建仔不用去擔心，但是當沉球不靈時，建仔必須有另外的策略。這需要的不只是技術而已，還必須有臨危不亂的心理素質。這一點，建仔還有待提升。

張伯倫的話

建仔姿勢走樣的問題，因為有重複發生的傾向，所以建仔輸球後，如果狀況沒有很快地回彈，就會間接影響到對自己的信心，而演變成心理問題，他會開始想很多。簡單地說，就是沒有自信。

在某方面來說，張伯倫和建仔是完全相反的類型。小張第一次大聯盟的處女秀就敢對波沙達的配球暗號搖頭，而且連搖三次！這讓我很好奇，為何一個二十一歲的小伙子膽子這麼大？

對於這個問題，張伯倫毫不猶豫的回答：「因為我知道最近自己哪種球投得最好，波沙達不見得知道。只有自己最了解自己。」張伯倫的言語充滿自信並勇於挑戰權威，真是美國這個社會培養出來的標準產物，知道自己夠好不用隱藏，把八十分的能力表現出九十分的樣子。

這和建仔是完全不同。這位當紅炸子雞也笑著說：「我們是天秤的兩端，所以才合得來吧！」談到對王建民的看法，張伯倫一語道破建仔低潮的關鍵，「He is too good to second guess himself.」張伯倫認為，王建民非常棒，這麼棒的投手還懷疑自己就太可惜了。

這句話還真有點震撼力，想想，建仔還真是亞洲文化的縮影。外表安靜謙虛，但是骨子裡卻好強、自我要求高。是那種明明考九十五分，卻還自責為什麼會丟掉五分的孩子。

每個投手都有被打爆的經驗。對很多在美國大聯盟生存的投手們來說，要是某一天被打爆，不過就是「a bad day」，他們會說：「That's it!」然後會聳聳肩下次再來。但對王建民來說，卻成了他開始懷疑自己的起因。

建仔有次告訴我，基德瑞跟他說過，他就算投得再好還是有一天會被打爆，建仔當時還不那麼相信，等到第一次被藍鳥隊重擊，建仔才終於體會到被打爆的滋味。

這或許說明了建仔為什麼自信心會受到影響，在某種程度來說，建仔是自己成功下的犧牲者。建仔在洋基的前期，不要說被打爆了，幾乎沒有連輸過，所以建仔對被打者連番重擊這一點非常地不能適應，進而懷疑自己的能力，看在外人眼中，是完全沒有必要的。

所以張伯倫會這樣說，這麼好的投手還懷疑自己的話，那就太沒道理了。問題就在於建仔到底有沒有真正地完全地接受自己的好呢？

張爸的話

〇八年的五月份，建仔陷入空前的低潮，幾乎看不到他的笑臉。

那時期有一次張伯倫也被打爆，包括我在內的媒體都神情嚴肅沒有笑容，排隊等著進球員更衣室時，突然聽到有人大聲說：「Smile!」抬頭一看居然是張伯倫的父親！我在感到訝異的同時也被點醒了！對呀，這麼愁眉不展幹嘛？要說不開心，除了張伯倫自己以外，應該就是跟他最親、遠道而來看球的父親。但張爸不但沒有失望的神情，還覺得媒體很奇怪。

隔兩天王建民先發，張爸坐著電動輪椅在場上等著看球。我走過去跟他聊天。我說：「記得嗎？那天賽後你要我們大家微笑。」張爸說：「對呀！又不是世界末日，不過一場球而已不是嗎？明天太陽照常升起。」我再問他：「你那天有沒有好好安慰小張？」張爸說：「後來我們一家人就去吃飯了，沒怎麼提球賽的事。如果他想要說我會聽，但我不會主動去提。我一向不喜歡讓負面的情緒持續。」

我說我有注意到，第二天小張在場上一樣活蹦亂跳。聽我這麼說張伯伯笑著說：「是呀，他沒事的，那小孩挺有自信的。我的教育原則是『Don’t have to be the best, just try to be the best.』（你不必是最好，但是要全力以赴）這就是我家訓。」我說這話真好，然後在筆記本上記下來。看看球賽快開始了，我跟張爸道了謝，回到記者室看球。

後來這場比賽建仔還是表現不夠好，最後洋基雖反敗為勝、建仔躲過敗投，但他並沒感染到隊友歡樂的氣氛，出來受訪時看得出是一張不能原諒自己的臉。他坦承最近的低潮是心理問題，因為不夠相信自已的球路，這個賽後訪問大家都做得很難受。

第二天我到更衣室先看到張伯倫，我說：「你的好友好像又開始自己折磨自己了。」小張馬上說：「妳說得一點沒錯。」我向小張重複張爸告訴我的家訓，小張一面聽一面點頭然後說：「王建民的問題呢，就是他has to be the best（他一定要做到最好），所以才會這樣。」

後來建仔出現了，看起來還是抑鬱寡歡，我把張爸哲學告訴他。問建仔有沒有道理，建仔想了一下說：「有呀。」「那你能不能做到呢？」建仔很誠實地說：「我可以接受，但是很難做到。」我提到強尼‧戴蒙前陣子表現不佳，到了坐板凳的地步，還有卡諾，簡直是被指名批判，但是他們臉上的笑容沒有少過，建仔也說：「對呀，他們怎麼都能做到？」

當然和每個人的個性有關，建仔在很多事情上，可以說是完全不用太多腦筋的，但是一碰到他最在乎的投球，就不是那麼放得開的人，沒有辦法過了就

攝影／許振輝

過了，而是會在腦中不停地去想，明知道多想並不見得有所幫助。連穆西納後來都看不下去，要他不要再想了，但是建仔的回答是，很難。

應自我負責

基德瑞雖然離開了洋基，但是每年春訓都會以顧問的身分指導投手，雖然不再是洋基的投手教練，他還是一樣地關心建仔，在〇九年春訓碰到他，再談到建仔，問他建仔最大的問題在哪?沒想到基德瑞說了這樣的一句話：He needs to start taking more responsibility inside for the things that he does.（他需要開始在心理上對自己所做的事負責任）。我聽了很訝異，但是同時覺得一語中的。

基德瑞解釋，當王投得不好時，他需要學習去想，怎麼做可以解決問題，並且了解這是自己可以去想辦法解決的。然後Stop doing what is wrong（不要再錯下去）。

我想起了穆西納說的話，所以問基德瑞，他的意思是不是指建仔比較依賴別人告訴他問題在哪裡？基德瑞說：「對，他有這個傾向。每一次當姿勢不對了，我們只能告訴他問題在哪，但是我們不能替他投，畢竟是他在場上投球，不能老是依靠別人告訴他。」

我覺得這和基德瑞之前談建仔有一個很明顯的轉折，因為剛到洋基的建仔是新人，所以有某種程度的依賴是很正常的，所以大家很樂於地去指導他，但是不能一直只靠旁人指點來解決問題，到後來終究必須靠自己。在配球上，如果習慣性地依賴捕手，自己完全不去想的話，那麼當某種球路不靈的時候，沒有辦法用自己的方式來處理危機。而在投球的姿勢上，一發現不對勁的時候，在場上就要想辦法修正過來，而不是不自知地一再重複。

唯有覺得責任在己，並且勇於負責，才會想辦法找出問題，加以改善。在某種程度上來說，霸氣就是一種敢自我負責的心態：面對打者，不管是誰，有一種不怕正面對決的氣勢。

基德瑞的這句「應自我負責」，點出了建仔最需提升的精神層面，技術面建仔已是頂尖投手，這一點無庸置疑；最大的問題在於，建仔似乎還沒有真正長大，成為一個真正獨立的個體。

台

第三章

一個意外的開

很少人會預測到，建仔的跑壘意外會演變成後來的發展。這個意外，是他大聯盟生涯的一個轉捩點，因爲這個轉折，許多原本沒有出現的潛在問題因此浮上檯面， 也讓建仔有了重新認識所處環境，以及認清自我的機會。

詭異的意外

建仔〇八年的球季是以前所未有的強運開始，從四月二日開幕戰開始連續拿下五場勝利，並在四月二十三日勇奪個人五十勝的記錄，是大聯盟近二十二年來最快拿到五十勝的投手；雖然五月份陷入低潮，但是在六月十五日受傷那天，建仔拿下了第八勝。要是沒有發生意外，一般認為建仔繼續下去的話，挑戰二十勝是很有可能的。所以任誰都沒有想到，在建仔好不容易擺脫陰影，開始回復正常時會發生那個跑壘的意外。

對於這個意外，外界有很多的討論，像是這到底跟建仔的跑壘能力有沒有關係？對於我的疑問，當時的投手教練艾蘭德說：「以我看這件事是個詭異的意外，因為王並沒有做什麼不對的動作。不像布魯尼那時是整個人在地上翻了個跟斗，所以比較能理解他傷到腳。王建民呢？應該只是跑的時候踏到了高低不平的地方。就這樣。」所以沒有所謂會不會跑壘的問題囉？「嗯，」艾蘭德說：「以我個人的看法，這件事就是個單純的意外。」

張伯倫也說：「跑壘本來就不是我們的專長，平常我們最多是補位，那種方式和跑壘包畢竟是不一樣的，所以我要他不要自責。」

雖然大聯盟球員薪水很高，但是在球場上真的是滿脆弱的。不知道什麼時候，在什麼樣的狀況下，意外會找上門。王建民在跑壘的時候怎麼會知道自己會不小心踩到高低不平的地方呢？

傷到右腳後，建仔在休兵日做完核磁共振，得知先不用開刀的消息，但是必須長期養傷。建仔撐著拐杖出現在洋基球場，當媒體可以採訪的時候，大家看到的是坐在椅子上的建仔，神情難掩落寞，但還是勉強擠出笑容。聽得出他嘗試往好處想，但是就像吉拉迪所說的，He is hurting inside.（他的心在痛）。

對一個運動員來說，最難過的就是不能上場，因此即使不能在前線打仗，建仔做完冰敷後，仍然選擇留在更衣室後面的餐廳或小房間看比賽。以這樣的方式精神支持隊上的弟兄們，對建仔來說，這是撫慰自己最好的方式。

所以在那段時間，有時候即使進到更衣室也不見得會看到建仔，經常看到

的是一盒盒裝滿信件的紙匣，以及一雙雙建仔平常穿的球鞋。可以感受得出等待的漫長。

差點動手術

建仔腳傷之後，洋基一開始並沒有放棄將建仔在球季結束前搶救回來的希望，防護員全力地幫助建仔療傷，並且還跟建仔說，要和時間賽跑。

那時建仔只要球隊在主場比賽，都會到球場接受治療。整個療程下來，算一算總共要花近六個小時。除了冰敷之外還要做電療，因為整個人要躺著，然後腳抬高，這樣長時間下來還真是不太舒服，整個療程真的比投一休四來得累。

防護員卯足了勁，無非是希望建仔能比預定的時間更早康復，但是這樣的希望，在七月初的時候發現，可能無法達成。

建仔接受防護員密集治療兩周之後，在六月底去做了複檢。沒想到醫生說，照片子的結果發現當初沒有照出來的些微骨折，因此告訴建仔有可能要動足部手術，而且早一點動手術，可以早一點好。建仔知道之後心情一度頗為沮喪，大部分的運動員都一樣，如果可以讓傷自然好的話，誰都不願意挨刀。

〇八年七月初建仔已有準備要接受手術的打算，特別飛到在南卡羅萊納州找一位足部傷害權威醫生診治，做了詳細的評估之後，醫生決定先不用開刀，而是先等三個月，讓建仔的腳傷自然癒合，建仔心中大石才放下。

這一段插曲原本外界沒有人知道，是因為立法院長王金平到紐約，希望能慰問建仔，但是從建仔經紀人張嘉元那兒得知建仔有可能要動手術，無法會面。王院長回到台北之後告訴大家這個原因，很多人以為院長消息不正確，但是事實上是真有其事，只是後來沒有發生而已。

下達禁跑令

建仔跑壘受傷後，洋基十四年來第一次無緣季後賽，一般認為，這次洋基

沒有打進季後賽的原因之一，和王牌受傷大有關聯。連身為洋基迷的大明星李察基爾在接受訪問時都說，看到王建民跑壘受傷的那一剎那，就知道洋基這個球季可能是完蛋了。結果真是如此。

球季結束後，建仔在十月份特別到佛州的小聯盟營繼續復健，在離開紐約之前，特別到洋基球場，聆聽防護員對他在台灣復健的種種叮嚀。球團對建仔最重要的一項囑咐就是：「不要跑步，以騎腳踏車代替。」由此看來，洋基還真不放心讓建仔自己跑步。

洋基的過度保護也不是沒有原因的，這不是建仔第一次受傷，在跑壘傷到腳之前，建仔的右腳不是在○七年春訓時跑步衝刺拉到大腿的筋，就是在○八年五月因為補位造成小腿輕微拉傷。前者是因為建仔過於認真的結果，熱身時教練要大家全力衝刺跑步，結果建仔用力過度而導致拉傷。後來教練跟建仔說，你是投手，不需要那麼用力，有時候作個樣子就可以。而後者則是投手經常需要做的補位動作。

所以這一次建仔在足部受傷後，隊友和媒體記者偶爾會以不會跑步來虧他。有一次洋基媒體群的老大姐蘇珊就當著建仔的面說：「應該要隊長吉特來教教你怎麼跑壘。」在旁的吉特聽了笑開來，但是沒有接腔。

或許有了先前累積的經驗，在沒有防護員在旁督導的情形下，洋基實在不敢大意讓建仔自己練跑，所以乾脆下達禁跑令，認為建仔以騎腳踏車方式來練比較安全。對洋基來說，建仔太重要了，所以寧可一切以小心謹慎為上，不能有一點閃失。

一開始其實是個好意的決定，可以充分感覺到王建民對球隊的重要性。只是當時絕對不會有人想到，這個決定，居然會是日後導致建仔離開洋基的一個遠因。

歷史開球

〇九年初，建仔從台灣回到美國展開春訓，熱身賽的內容雖不算頂尖，但是也沒有很差。那時不管問誰，都說建仔的腳傷已經完全復原了，並且還安排他在新球場投第一場比賽，雖然只是表演賽，但是意義非凡，因為建仔成為在

洋基新球場投出第一球的投手。

我一點也不否認，走進洋基新球場，心情上是讓人興奮的。「酷」是一個最好表達的字眼，媒體採訪的焦點圍繞在新球場新感覺上，不管是表演賽前一天，還是表演賽當天，大部分問題都在「你覺得新球場如何」上打轉，因為真如吉特所說，想得到的、該有的，這個球場都有了。

洋基球迷習慣把舊洋基球場稱為「棒球的殿堂」，現在稱新球場為「宮殿」，因為它更加富麗堂皇。但是對於熟悉紐約目前真實面貌的普羅大眾而言，新球場還真是在一個最艱難的時機誕生，紐約充滿了撐不下去的店面，以及面臨失業的人群，所以對某些人來說，洋基閃亮發光的新球場看來有些刺眼。

所以，洋基小老闆郝爾．史坦布瑞納在記者會上體會到來自各方的尖銳提問，大部分都是跟現在美國的經濟有關，一位記者甚至用暴發戶的作法來挑戰小老闆，一位記者質疑洋基昂貴到令人咋舌的票價。

小老闆的說法是，兩年多前決定要建新球場時，並未預料到經濟會這樣蕭條，而棒球運動就是提供一個「Escape」（逃脫），在艱難時期可以與大家共渡難關，讓辛勤工作的球迷有兩、三個小時脫離現實，它的本身就是一種娛樂。至於票價的確是高了點，但還是有些便宜的票。郝爾都說得很好聽，只是實在不太具有說服力。

在王建民表演賽開始前採訪了一些球迷，一位死忠球迷說這個球季只能來看這兩場表演賽，因為一旦到了例行賽，同樣位置的票價要漲十倍；另外有兩位住在紐約的台灣球迷，一個人花了兩百美金買了最好的位置，因為是王建民以及新球場的第一場比賽，他們覺得頗為值得。

而且呢，同樣位置在例行賽，要十三倍的價錢，也就是二千六百美元才能買得到，所以花這個錢心理上還可以過得去。用這樣比較當然有道理，但兩百美元買一張票看表演賽，還真不是一般人能負擔的消遣。

因為是新開幕的關係，洋基的紀念品店也擠滿了人，簡直像不要錢一樣，看著這些搶著採購的人群，難免有些感觸。

大家在買什麼呢？不過買一個夢想，這是美國這個資本主義社會最擅長的地方，就是讓你覺得只要抱持希望，人人可以在這個社會中夢想成真。

我們台灣媒體在做什麼呢？一群記者跟著王建民在球場一整天，對他的一

舉一動做全紀錄，我們也是幫台灣著迷王建民的大眾們編織一個夢想，讓他們在苦悶或不算苦悶的生活中，找到一些亮光與希望。

所以當比賽開始時，當王建民站在投手丘上時，第一個感覺是：「球季又開始了！」洋基這個夢工廠又正式啟動，台灣球迷又可隨著建仔的出賽而悸動。「現在王建民要投出歷史第一球了，哇！是顆好球！」跟著全場興奮的球迷，我把紐約日益蒼涼的街景拋在腦後。

大出意外

期盼好久終於出賽的建仔本人，以及等待了好久的球迷怎麼樣也不會料到，〇九年的建仔會是這樣展開新的球季。事實上，第一場表演賽已經透露出一點訊息，因為建仔投了五局失了四分，與跑壘受傷前的身手有段差距，可是沒有人引以為意，沒想到建仔腳傷後復出第一場正式比賽就被打爆。

那時是在巴爾的摩，建仔在投完球的第二天到球場，心情看得出來不太好，媒體也不好去問他，教練和隊友也只是說，可能是很久沒有出賽，有點緊張的關係。我問和建仔搭配得不錯的捕手莫里納，他說：「等這麼久終於上場，心情應很興奮！我認為他就是過於anxious（心急了點），就這樣。」

不過莫里納也提出了一個觀察，就是建仔的出手點似乎有點問題，也導致進壘點缺乏consistency（一致性），所以會忽高忽低

原本大家以為第二場比賽應該會回復正常，但是沒有想到，居然一場不如一場，等到第三場又被打爆後，一向對建仔頗為友善的美國媒體也忍不住批評，有的用詞相當不雅。建仔加入洋基之後，因為很少連輸過，所以從來沒有見識到美國媒體不留情的那一面，現在因為成績太差，他終於體會某些美國媒體的冷嘲熱諷。而那一陣子「王，到底怎麼了」，成為採訪洋基的中外記者們最大的話題。

但是建仔本人並不知道真正的原因出在哪裡，問他怎麼了，他都說身體沒問題，也不知道為什麼會被打成這樣。對那時建仔的茫然，我印象深刻，因為他真的是怎麼想也想不出自己連三場都被打爆的真正原因。

事實上，當時的建仔的確是健康的，也不是心理層面出了什麼問題，只是

整個體能狀況還沒有調整到位而已。

難辭其咎

一直到被打爆三場之後，洋基終於解除禁令讓王建民跑步了。連總經理凱許曼都對外暗示說，王建民的問題可能在沒有跑步，所以影響他的臂力，進而球速無法發揮。雖然球季都已經開打了，但是很奇怪的，洋基還是沒讓建仔跑步，在春訓時擔任顧問的基德瑞就跟我說：「這真是過度小心。」那時並沒有會想到，因為這個遠因，建仔會是以這樣慘烈的局面展開新的球季。

洋基一直不讓建仔開始跑步這件事，我一直覺得很奇怪，問過建仔為什麼。建仔說二月初剛到春訓基地坦帕時有跑，但是發現腳底抽緊（不是抽筋），球團方面馬上又禁跑。建仔說其實過一兩天就好了，但是球團不願意再讓他跑步，一禁就禁到現在。

洋基的過度小心顯然有相反的效果，如果右腳傷勢真的已完全復原還不讓建仔跑步的話，不是送出一個相反的訊息，就是球團還不認為他的右腳完全好了，在這樣的情形下，球員自己又怎麼會去信任它呢？

洋基牛棚投手布魯尼和建仔受的是非常接近的腳傷，洋基並沒有對他下達禁跑令，後來他也完全康復。我問布魯尼，建仔是不是有右腳信任危機的問題，布魯尼馬上點頭說：「是！」我說：「可是我問王，他說右腳已經完全復原。」布魯尼說：「當初我的右腳剛復原時也以為完全好了，但是事實上我有潛意識地在保護我的右腳，所以控球不佳。當時我並不知道，是後來我回頭看，才知道當時的我不對勁，因為我沒有完全相信我的右腳。」

我問布魯尼經過多久才開始完全相信？布魯尼說：「十到十二場比賽吧，有一天我真正的Let it go and just do it.（完全放開然後就去投），那時我才是真正地完全放手投，完全沒有想右腳的問題。那才是真正地完全信賴身體，讓身體自然發出的動作來投球，不然的話會用手臂的力量去硬拚。」

若真如布魯尼所說，那麼洋基的禁跑措施顯然是過猶不及。所以連建仔自己都說，不跑步真的影響了整個身體的協調性，所以在防護員建議下，建仔終於開跑了。這個決定本身已經足以說明：洋基的禁跑令是一個錯誤的決定。

傷兵名單

因為建仔的狀況不佳，洋基無法再讓他上場，但是選擇權用完了，所以也無法下放。對洋基來說，當時最好的選擇就是把建仔放進傷兵名單，而為了找理由，洋基是用心良苦。

即使建仔沒什麼傷，但是也要想辦法找出來，而且必須操作合理，才不讓外界講話，而為了找一個像樣的、對外說得過去的傷，並不容易。先前傳出可能以手臂疲勞的名義，但是洋基後來要建仔加強手臂力道要他去投一百球，這樣顯然是自打嘴巴，最後終於找到叫做weakness in the adductor muscles of both hips（下半身肌力不足）的傷。

大家都知道weakeness是不夠、不足的意思，它不是injury（受傷），充其量只能說那部分的肌肉沒有恢復到以前的強壯程度，如果真是這個原因的話，只能說是傷後的運動量不夠。

所以不管怎麼看，建仔的問題是在體能沒有恢復到昔日水準，而不是受傷，而體能沒有調整到位，大部分的責任是在洋基。

當然洋基不希望失去建仔，沒有別的路好走，但是因為建仔是一個自尊心很強的人，所以當洋基對外暗示健康有問題之後，美國媒體圍著建仔一直問，「你真的健康嗎？你沒問題嗎？」好像建仔沒有說實話一樣，以建仔的個性，對於這樣被質疑，心理當然不舒服。

攝影／許振輝

另外讓建仔無法釋懷的是，球速投不出來，在春訓就看得出來，為什麼到現在才發現？在正規球季開始以後，洋基投手教練艾蘭德還跟建仔說，他不在乎測試槍的結果。為什麼等到建仔表現不佳，才覺得球速是個問題呢？

但是真正讓建仔最不舒服的地方是，他感到自己完全被蒙在鼓裡。這一段，可以說為雙方日後的不信任種下了導火線。

種下導火線

洋基可能把建仔放進傷兵名單的事，媒體在發生前就已經猜測得到，但是球隊不能在找到傷之前公開說，所以在連續三場比賽都被打爆之後，球團告訴建仔要他到小聯盟投練習賽，名義上叫做延長春訓。那時候還告訴建仔，投完了之後就可以回波士頓與球隊會合。聽話老實的建仔真的以為投完了就可以歸隊。

事實上，投練習賽只是一個準備動作，就是要藉此找到一個對外說得過去的名義，好把建仔放進傷兵名單。那時正好有大球星A-Rod在復健，下半身傷害權威林塞正好在小聯盟協助他，林塞幫建仔診斷的結果是下半身的肌力不足。這幫了洋基一個大忙，等於找到了建仔球速沒有發揮的主要原因。

建仔本人則是在投完練習賽後，還告訴我們這些飛到那裡採訪的媒體說明天要飛波士頓，隔天建仔在下榻飯店完成了退房手續，到球場報到之後，準備飛往波士頓與球隊會合，沒想到到了坦帕的小聯盟復健基地之後，卻被告知要留下來，因為洋基決定把他放進傷兵名單。那時的建仔心情跌落谷底，覺得好像被球團耍了一記。

建仔的個性是壓抑型的火山，也就是說，對於一些小事，即使心理不舒服平常都會隱忍下來，但要是真的讓他覺得不受尊重，那麼他個性中比較拗的一面就會跑出來。在被告知要留下來以後，洋基總經理凱許曼打電話找建仔，要當面和建仔討論接下來的兩個選擇：一個是進傷兵名單，繼續在坦帕復健；另外一個選擇是在牛棚慢慢調整

不過凱許曼打了好幾通電話，建仔都沒有接到，因為建仔那時過於沮喪，誰的電話都不想接，等到後來終於通上話，建仔還是表明希望能夠回到先發的

意願，凱許曼則是堅持必須兩者擇一，雙方弄得有點僵，但是建仔知道情勢由不得自己，後來考慮以先發投手的立場，當然是能投一休四比較好，所以選擇在坦帕復健。

這一次的通話，讓凱許曼見識到建仔固執的一面，而建仔也開始對球團的信任動搖，為日後雙方的溝通不良種下導火線。

感覺下放

雖然不是被下放，但是進入傷兵名單的建仔坦承，心情上很像是那種感覺。小聯盟第一場復健賽站在史寬頓3A的投手丘上，讓他想起小聯盟時代，事實上建仔沒有在史寬頓待過，因為洋基三年前才和史寬頓結盟，除了上大聯盟第一年，因為受傷在當時位於俄亥俄州的3A哥倫布快艇隊投過復健賽，這一次是建仔成名後再來到小聯盟投球，不過在氣氛上是非常類似的。

小聯盟的比賽有一種獨特魅力。小小的球場座落在一個小山谷中，局與局之間有各種娛樂性的場邊遊戲，一下子比呼拉圈，一下子是機智問答，一下子是跳繩比賽，贏家有紀念T恤可拿。觀眾多半住在附近，因為最貴票價不過十幾美元，所以很多是攜家帶眷的，有那種和社區結合的草根性。每當有大投手來比賽時，就會讓球迷特別興奮與期待。

坐在記者室看比賽和在洋基大為不同，這裡的記者們好像朋友一樣，邊看比賽邊聊天，氣氛是和諧輕鬆的，完全沒有洋基那種忙著做紀錄的正經八百。對當地記者來說，長期採訪小聯盟最大的樂趣是看到一個個從農場出身的球員能躋身大聯盟。以史寬頓為例，因為和洋基合作的歷史有限，目前從這裡出去最有名的洋基投手就是張伯倫。

比賽進行間，突然聽到一個熟悉的名字——安迪菲利普斯（Andy Phillips）。不就是那個前洋基帥哥一壘手嗎？我問同業，「對呀！就是他。」現在在白襪的3A？「對呀！」同業說。看到曾經在洋基休息室見過的臉孔，不免有點感觸，不知有多少球員在大小聯盟間載沉載浮，又不知有多少球員與大聯盟一生無緣。

我想起建仔出頭的時機，也是靠當時投手的傷兵累累，這一行，除了天份

與努力之外，真的還要有點幸運。

你可以說這個環境很現實，但也可以說很公平，有現實下的犧牲者，也就有現實下的受益者。後來和建仔提到這一點，建仔也說，「其實我真的還滿幸運的。」一從紐約到坦帕、坦帕回紐約，再從紐約到史寬頓，這一路走來，建仔心情夾雜著苦悶與無奈；但是有兩年十九勝的戰績在那裡，他的位子還是在等著他；不像許多球員，大聯盟之旅有如曇花一現，不知要等多久，才會春暖花開。

轉戰牛棚

在3A的史寬頓投了兩場復健賽後，對於建仔什麼時候先發，洋基還是沒有很肯定的答案，而是先把他叫回來試投，看投完的結果再說。建仔雖然嘴巴上不說，自尊心是有點受到傷害的。為什麼連總經理凱許曼親自飛到史寬頓看了兩場比賽還不夠，還要再來一次面試呢？不是有點讓人面子掛不住嗎？如果有這樣的反應，其實也很自然。

建仔練投完後，吉拉迪宣布隔天會對建仔的下一步有所決定，我問他：「你決定王歸隊先發的時機，跟休斯（當時是洋基投手中的明日之星）的表現有無關係？」吉拉迪說：「沒有。王是王，休斯是休斯，這是分開來看的。」

我進了休息室跟很關心建仔的柏奈特說：「吉拉迪說明天會決定王的動向。」柏奈特的反應就是：「當然呀，他要看休斯的表現。」我說：「你也這樣覺得喔？但他說是分開看的。」柏奈特看了我一眼，一副這妳也會相信的表情，我馬上懂了。後來的發展也證明吉拉迪口是心非。

結果吉拉迪第二天宣布要建仔再回史寬頓投一場復健賽，跟建仔自己本人的期望相反，建仔無奈地馬上回家打包，然後自己連夜開車趕回3A，沒想到開到一半，突然接到電話，因為張伯倫當天在先發投球時被球擊中，不知下一場能不能投，為了保險起見，臨時把建仔叫了回來。

沒想到張伯倫傷勢不重不需跳過先發，但是已經把建仔自傷兵名單中解除召回來了，所以只有把他放在牛棚待命，使建仔成為倉促決定下的犧牲者，假設檢查結果小張無法先發，前一天把建仔叫回頂替也還來得及；這種調度也常出

現，至少建仔是按先發模式準備上場。然而因為太著急馬上召回建仔，就只能讓他待牛棚，扮演完全不熟悉的角色，並且還期待他能以這個角色來證明自己。

短時間內從先發轉到牛棚待命，角色扮演有這麼簡單嗎？我問洋基當家投手沙巴西亞。他說：「我想頗難吧？因準備時間完全不一樣，我到現在也沒經歷過，所以很難回答。」問派提特，他很委婉地說：「是不太容易，在我十五年投手資歷中擔當幾次牛棚，我覺得表現還算ＯＫ。」連這麼有經驗的投手都說「還算ＯＫ」的話，我不知吉拉迪希望建仔做到什麼程度？

顯然吉拉迪不太有信心，因他是捕手出身，很清楚投手的狀況。所以雖然嘴巴說：「我會盡量做到讓他覺得正常。」但是事實上很難做到，所以兩次預定要建仔上場，看局勢演變又臨時取消。

因為外在環境影響有太多的變化，這時的建仔感覺上已經不太相信球團跟他說的話了。建仔會有這樣的感覺有一個重要的原因，就是雙方根本缺乏相互的溝通。

缺乏溝通

在洋基總教練吉拉迪宣布把建仔放在牛棚，YES電視台場邊記者金柏莉問了一個我也很想知道答案的問題，她問吉拉迪：「你有跟王討論過嗎？進牛棚他覺得舒服嗎？畢竟先發和牛棚的準備很不一樣。」

對此，吉拉迪回答：「妳當然希望有完美的劇本，但是有時候就不是這樣，我們現在需要他在牛棚，畢竟球隊是最重要的。」吉拉迪的說法不能算錯，但最重要的一點他漏答了，那就是「有沒有和王討論」？

就在前兩天，我才問過類似問題，那時吉拉迪告訴記者：「對王，我們明天會有最後決定。」我問他：「會不會跟王本人討論？」吉拉迪停頓片刻，不太自然地說：「喔，We will talk to him.」但是talk可以只是告知而不是討論，決定出來後，我問建仔球團有找他討論嗎？建仔說：「沒有呀，就是告訴我。」

這不是第一次了。之前建仔在史寬頓的3A投完第一場復健賽之後，總經理凱許曼接受台灣媒體訪問時也說：「我們會問他本人的意見」。但後來必須再投

一場復健賽的消息，建仔卻是從報紙上才得知。也就是說，凱許曼不但沒跟建仔討論，就連要他再投一次復健賽，居然還是先告訴記者，而不是建仔本人。

聽完吉拉迪在記者會上虛應故事後，我終於忍不住問了一直想問的問題：「你確定和王建民溝通上沒有問題嗎？王是個很安靜的人，不太表達他的想法，加上還是有點語言障礙，王表現好時或許不是什麼問題，但在他面臨挑戰的時候，溝通有沒有隔閡呢？」

這時我可感覺吉拉迪有點不自在，YES廣播電台的大姊大蘇珊還特別回頭望了我一眼，吉拉迪想了幾秒說：「王的語言能力足夠了解我們的意思，只是有時要多花點時間，基本上是沒問題的。」

這還是答非所問，我想知道的是有無雙向溝通，而不是建仔有沒有聽懂他說的話。當然因為就是沒有所謂雙向式的討論，所以不管是對金柏莉或我的問題，吉拉迪都只能技巧帶過。

當記者會結束後，蘇珊大姊走過來跟我說：「妳問到核心了，以前有基德瑞會好好地跟王溝通，現在少了這樣一個人，所以呀，柏奈特才會說要學中文，就是要幫助王。」

聽她這麼說，我才知道，即便不是每天跟著建仔轉的美國媒體，也注意到了建仔的孤立無援，就是缺乏一個關心了解他的人，可以跟他解釋為什麼球團要這麼做，或者是幫建仔傳達他的想法，甚至在重要時刻為建仔說幾句話。

球團本來就是以球隊整體利益做最大考量，但是對一位連兩年拿下十九勝的投手來說，每次重要決定都不是跟他本人商量，而是到最後關頭才告知他，這實在是很不尊重的作法。

後來在比賽時看到建仔從牛棚跑出來的身影，吉拉迪的說法卻彷彿就在耳邊；說真的，還從來不曾感覺到建仔竟是如此孤單

排名內幕

建仔這一連串的轉折，看在關心他的老大哥柏奈特眼裏，不只一次地替建仔說話。

跑洋基的記者都注意到了，柏奈特是最護著建仔的隊友，只是很少人知道

原因，大家以為是柏奈特喜歡東方文化的關係，因為他最崇拜的偶像是李小龍，建仔還特別買了李小龍的雕塑品送他，但是這只是一部分的理由，另外還有一個最主要的原因。

這個原因是柏奈特主動告訴我的，我問他為什麼這麼護著建仔？他說：「我老實告訴你，當初我和沙巴西亞一起加入洋基，那時得到的排名順序是沙胖第一、我第二，後來快春訓的時候，吉拉迪打電話給我，他跟我說，王建民去年雖然受傷了，但是對這個球團有很大的貢獻，所以如果你不介意的話，我們覺得應該讓他排第二號先發。」

柏奈特說：「我說我可以理解，主要是我受過傷，我知道那種感覺，所以我跟吉拉迪說，『我不介意，我可以把第二號先發讓出來。』」

看我睜大了眼，柏奈特說：「所以我不高興呀！當初告訴我王是這麼地重要，甚至要我讓排名。那麼現在怎麼可以這樣去對他，這根本不是對一位二號先發大將應該的方式呀。」

柏奈特這麼一說，我也想起來，當初洋基網羅沙巴西亞和柏奈特的時候，投手教練艾蘭德對外說過，這兩位投手將是一、二號先發，那時媒體也針對排名做過一些報導，但是後來春訓開始，吉拉迪宣布建仔是二號先發，原來是因為情商柏奈特讓出的緣故。

而柏奈特沒有一點不情願，而是很甘心地讓出排名，因為他體會過在受傷時被冷落的滋味。這一段原委，柏奈特並沒有告訴建仔，但是任誰都看得出，他對建仔是真心的好。

反求諸己

雖然柏奈特很疼建仔，但是他同時也認為，球團對建仔不夠尊重的處理方式，建仔自己也有些責任。

我問柏奈特如果球團用這樣的方式來對他，會不會有點不高興？柏奈特想也不想就說：「當然呀！我是會不高興的。」我有感而發說：「我覺得他們好像有點把王當小孩子看。」柏奈特馬上回說：「對耶！為什麼呢？為什麼他們都把他當小孩子看呢？」他停頓了一下說：「不過我覺得，他也有責任。」

「你是說，有時候你也要捫心自問為什麼可以讓別人這樣對你嗎？」柏奈特點點頭說：「對呀！你若不要被這樣對待，就要讓對方知道。」

他的回答讓我想起基德瑞說過的那句話，「王要從心理對自己所做的事負責。」雖然他指的是投球，但也可以延伸到其他方面。

說真的，建仔在很多方面是狀況外。採訪他這麼多年下來，很多事情不是隊友告訴他，就是記者們告訴他，很少消息是他自己攝取而來。好處是獨善其身可以免於很多蜚短流長，但是同時卻可能也讓人覺得他老是事不關己。

這樣長期下來，已經塑造成一種印象，就是王建民呢，他可能並不在意很多事自己是最後一個知道的。像是第二天要做什麼、球團發生什麼大事，他都是「反正最後會有人來告訴我」這種態度。直到最近這件事情上，建仔就不再那麼灑脫了。當有關自己重要的決定，自己卻不是第一個知道時，難免有不被尊重的感覺。如果建仔覺得自己在決定的過程中有任何不受重視的地方，也可以適度地表達，讓球團知道他的想法，這樣球團在處理這些事的時候，就不會如此粗糙。

美國是一個標準「愛吵的小孩有糖吃」的國家，很多時候自己的權益要自己去爭取。他們不像亞洲文化，什麼都不直說，而是喜歡去揣摩對方的心意，或是去拐彎抹角。其實只要你說的是合理的，通常美國人都會接受，但是你不說，他們就不會知道。

建仔的個性偏偏是要別人來注意他的需要，別人來當他肚子裡的蛔蟲，而且有時候是要揣測半天才會有個答案，很少是自己去主動問、主動了解，這並不是語言的問題，而是個性的問題。

這樣被動的個性，在一切都一帆風順的時候，不會有太大的問題，但是在遇到危機與困難的時候就形成阻力。所以我覺得柏奈特提出的觀點非常的客觀，那就是「如果人家覺得可以這樣對我，是不是代表我也有些責任呢？」

難聽的寵物說

顯然覺得建仔自己有責任的，不只是旁觀的柏奈特而已，公開這樣暗示的是洋基總經理凱許曼，這從他的「寵物說」可一窺端倪。

在洋基決定把建仔放進傷兵名單後，就有美國媒體引用不具名人士的話說，建仔那時還吵著要先發，然後針對建仔自認健康沒問題這一點去問凱許曼。他的回答是：「球員有時像寵物一樣，並不清楚自己的狀況。」

這段話已可感覺出凱許曼已有不悅，就是他暗指建仔對自己的狀況並不清楚，不知道為什麼在被打爆了三場之後，建仔竟然還認為自己沒問題。腦海中既有建仔並不自知的既定印象，導致凱許曼後來對外發言更讓大家吃驚。

事實上，凱許曼是個ＥＱ很高的總經理，不只與大部分的球員，與媒體相處關係很好，幾乎是有問必答，很少看他會有情緒失控或者失言的時候。對於沒讓建仔跑步，凱許曼也沒有推委卸責，坦承是錯誤的決定；但是建仔轉進牛棚之後，對美國媒體的詢問坦言「適應不良，想儘快回先發」，這樣的回答，等於是質疑了教練團的決策，嚴格說起來，犯了這一行的大忌。

在大聯盟採訪久了都知道，如果球員對於調度有什麼不高興的地方，大可以關起門來表達，甚至拍桌子大吼都沒有關係。但是面對媒體，行規是說表面話，儘管心中有再大的不滿，都還是會說，球團有球團的考量，只要他們認為這樣球隊最好，我就會去做。

把建仔放牛棚的決定本來就是不得已，美國媒體也對這種安排有疑問，建仔再這麼坦言不適應之後，更加給媒體炒作之機，所以拿建仔自己的話來一再逼問凱許曼，因為建仔本人說了實話，凱許曼無處可逃最後被逼急了說出：「當初簽下他是投手，沒有指名是先發。」也就是說，我簽下的球員，我要把你擺在哪，那是我的權限範圍，你沒有權利去公開質疑。

這種話說出來當然對建仔很傷，所以事後凱許曼打電話給建仔的經紀人張嘉元，表明是被逼急了才會這樣發言，要建仔不要太在意。可是凱許曼情急之下的發言，事實上是表達出他內心真正的想法，那就是球員按理沒有資格對外公開挑戰球隊在調度上的決策。這一點，平心而論，你不能說他有錯，只是話說了未免太重了些。

棒球如人生

本來以為被解除傷兵名單之後，就會回到先發輪值，沒想到是轉戰牛棚當救援，人生的變化難以預測。

那時正好上映一部名為*Sugar*的電影，描寫一位多明尼加共和國的年輕投手到美國小聯盟打天下的故事。因為他愛吃甜食所以暱稱Sugar，來到人生地不熟的美國，他進入堪薩斯皇家隊位於愛荷華州的1A球隊，就在前景看好的時候，與其他球員衝撞受了傷。

復原之後，Sugar的球速投不出來，表現與先前迥異，他嘗試用藥且棒打飲料筒出氣，但還是走不出低潮。在看到來自同鄉的好友因為表現不佳被釋出以後，他對自己的未來做出了決定，就是在球隊放棄他以前選擇自行離開。

因為回去祖國沒有未來，他隻身到紐約洋基球場附近找工作，先是洗盤子然後當木工。電影最後就是描寫他閒暇無事參加業餘的棒球隊，隊上都是拉丁語系國家來美國闖天下卻失敗的人，一個個都曾經有過夢想，最後卻無奈地面對現實。

說真的，我不喜歡這個電影結局，希望看到Sugar站上大聯盟。但是我知道，那樣結局少之又少，電影的結局更接近真實狀況。

電影中有兩句對白發人深省，一是Life will give you many opportunities,

baseball only gives you one.（人生會給你很多機會，但是棒球只給一個）。另一句是The true test of character is how you come back.（對一個人性格上真正的考驗就是看他如何反敗為勝）。

棒球給建仔的那個機會，建仔抓住了。他上大聯盟時正好碰上一個最好的時機，站穩以後他人難以動搖他的地位。即使在進入傷兵名單後，因為有兩年十九勝的實績在那裡，他先發位子還是準備要還給他。

而大家現在等著看的，是建仔如何經歷這個過渡期，然後在下一次機會來臨時證明自己。那是對建仔真正性格及能力上的考驗。

在建仔回到洋基的那一天，我問已經頂替建仔先發好幾次的休斯，覺不覺得這一次洋基給足了機會讓他證明自己？他說：「我沒有什麼要去證明、或是怎麼樣才可以留在先發的問題。我只是覺得要盡全力去投，只要把自己準備好，那是最重要的。我覺得先前我不夠aggressive（挑戰打者），接下來我覺得要更積極一點。」

結果最關鍵的那場比賽，休斯勇敢與打者正面對決，投了八局無失分的好投，替自己贏得下一場先發機會。

很難想像當初頂替建仔投得跌跌撞撞的休斯，會在最緊要關頭來個最好的表現，保住了難得的先發機會。反而是原本怎麼樣也輪不到他在牛棚的建仔，卻會因為張伯倫的球吻而進入牛棚待命，現在只能等待別人給他機會。

但是人生不就是這樣嗎？計畫往往趕不上變化，時機常常左右一切。不過有一點是無庸置疑的，那就是機會是給準備好的人。如果沒有準備好，就算有機會也沒有用。

所以那部電影最後是Sugar無奈的笑容，他知道自己曾經有過一個機會，只是他沒有把握住。與Sugar不同的是，只要建仔沉得住氣，機會一定會來。重要的是問自己：「我是真的準備好了嗎？」

束手無策

在牛棚待了一陣子，洋基終於讓建仔回到先發，這個決定對洋基來說是個有點痛苦的抉擇，因為休斯到後來表現得還不錯，但是如果不把建仔調回來，會有牛棚化的危機，所以建仔終於等到了原屬於他的位置。

但是重回先發輪值的建仔表現並不好，投了好幾場都還沒有投出一場優質先發的內容，球團的耐心也已快到盡頭，六月初對紅襪的比賽結束後，教練團很明白地告訴媒體，下一場王會不會先發，是個未知數。私底下吉拉迪則是當面很白地告訴建仔：「這是大聯盟，不是發展聯盟，我們不能老是在那等你恢復正常。」建仔心中也知道，機會不多了。

坦白說，洋基在那時已經認為對建仔仁至義盡。要不是建仔過去有兩年十九勝的豐功偉業在那裡，對於一個被打爆三場，後來又沒特殊表現的投手，一般來說，沒有那麼大的耐心。建仔自己也知道這一點，所以已經有心理打算，要是沒有好的表現的話，先發就會不保。

對於建仔到底是怎麼回事，媒體一個接一個地拋問題給投手教練艾蘭德，想找出解答，艾蘭德很有耐心的回答，但是問答過程充滿無奈。艾蘭德最後只能重複說：「牛棚練投好好的一上場就變了樣，你問我為什麼？我真的不知道。」艾蘭德給媒體的感覺是，對於調教建仔，他似乎已束手無策了。

後來大家同搭一部電梯，《紐約時報》的記者凱普納說：「看來他是撞牆

了。不過我不怪艾蘭德，因為我覺得他是真的不知道問題出在哪。」

說真的，媒體也是在撞牆。問建仔是不是壓力大？他搖頭。問他是不是自信心不夠？他說不是。問他是不是因為和小孩快出世有關？他也說沒有。那是為什麼呢？問了半天，沒有明確的答案。

後來連美國媒體甚至就出現了建議請基德瑞回來調整小王的報導，我看了會心一笑。顯然大家都看得出來，艾蘭德與建仔可能不是那麼對味。

我曾經問過建仔基德瑞和艾蘭德兩人教法的不同。建仔說：「基德瑞通常不會多說什麼，就會說『投就對了』，有問題再去問他。但是艾蘭德每次都要看錄影帶，微調這個微調那個的。」雖然建仔沒有透露自己內心的想法，但是從他的形容聽得出，比較適應基德瑞那種方式。

建仔對艾蘭德還沒有培養相同的信任，這一點在被列入傷兵後更加嚴重。因為建仔對於球團在春訓時沒有注意到他體能沒有到位這一點不太能理解，所以後來的話，建仔理所當然比較難聽得進去。

對於建仔的掙扎，老大哥柏奈特看了很難過。不只一次跟我說：「我叫他不要聽太多，把耳朵關起來就對了。說越多會越讓他無所適從，反正投就對了！」他雖然沒有明指是艾蘭德，但是調教建仔修正動作是投手教練的責任，因此暗中批評艾蘭德過於注重細節的成分相當高。

感覺上基德瑞是幫助建仔建立大方向，而艾蘭德則是見樹不見林。所以動作調了半天，效果似乎很有限。

因為沒有那種互信，兩人之間彷彿有一道牆。對於問題在哪？艾蘭德是兩手一攤，乾脆跟大家表明他已無對策

如果你的投手教練都近乎放棄了，球員自身呢？當然感覺得到，建仔那時給我的感覺已經有點豁出去的味道。

惡夢成真

回到先發近一個月，建仔終於贏了一場比較漂亮的球。沒想到投到第六局，感到肩膀不適，建仔給了波沙達一個暗示，隨後被換了下來。

建仔肩膀為什麼會出問題，他本人最清楚，但是那時艾蘭德的反應也透露

出值得探討的訊息。艾蘭德說：「怎麼先前沒有聽他說。」也就是間接在懷疑建仔是不是已經知道肩膀有些問題，但是沒有提出預警。

對於建仔肩膀為什麼會受傷，後來普遍的看法是當投手下半身力量沒有完全復原的時候，很容易下意識用上半身的力量去補，形成對肩膀的傷害，這種情形在大聯盟很常見，所以在建仔跑壘受傷後就有人提醒他，千萬不要在腳部還沒有完全復原的時候去拚球速，這樣會導致手臂出問題。

所以建仔不是不知道會有這樣的連帶後果，但是以投手來說，用上半身去補下半身的力量，這是很潛意識的動作，有時候很難去控制；再加上建仔知道球團很在意他的球速有沒有到位，所以更難不去拚球速來證明自己，尤其在建仔回到先發後，表現並不理想，而想要先發這個位置的人太多了，隨時都有人可以頂替。這些主客觀因素加起來，都形成一種無形的壓力，在這種壓力下，任誰都會逞強、想要證明自己，更不要說骨子裡這麼好強的建仔。

當建仔剛調到牛棚的時候，大家都注意到球速真的是增進了一些，不過因為救援投手只要出來投個一兩局，所以基本上可以比較盡力去拚球速，但是回到先發，要是用相同的方式去飆的話，難免會對手臂的負擔過重。

建仔因為用上半身力量去補下半身不足，導致肩膀受傷這一點，是很合理的推論，只是當初發現不適時，是不是隱忍沒有表達這一點？因為後來現實的發展過為殘酷，外人也不必去追究，只有建仔心裡最清楚了。

不意外的結束

雖然沒人預料一個跑壘的意外，會演變到肩膀受傷，進而必須開刀。

但是在手術一完成之後，洋基其實已經做了不續約的決定。如果了解內情，就會知道這是一個意料之中的結局。而在整個過程中，建仔從封閉隔離，到開始面對，一路走來，自有體會。尤其眼看洋基拿下世界大賽冠軍，自己卻只能當旁觀者，笑中有憾，是最好的寫照。

第四章

攝影／林茲慧

孤單留下

建仔發現右肩不適之後，球隊要到客場他不需跟著，柏奈特看到建仔穿著便服才意識到建仔不會隨隊出征，馬上跑過去關切。兩人交談一陣子，柏奈特給建仔一個擁抱，然後建仔獨自背上小背包離開。

對於受傷這件事，柏奈特可一點也不陌生，也正因為如此，看到建仔好不容易從谷底回升卻又受傷，他用hurts my heart（心痛）來形容。先前建仔於坦帕灣復健時柏奈特幾乎每天傳簡訊給建仔，甚至貼心地說「Buddy, I love you.」

談到建仔要留在紐約做復健，沒想到柏奈特直截了當地說：「我不認為他（洋基指派一位從哥倫比亞基督長老醫院的防護員每天到球場幫建仔做治療）夠專業，我想要建仔用我的人。」柏奈特解釋說，他有專屬的人幫他做輕度按摩（Soft Tissue）以及針灸，這部分的費用洋基也幫他出，但是洋基不讓所有球員都可以這樣做，原因不是球團捨盤，而是洋基比較守舊。

柏奈特說：「妳知道嗎？哈勒戴就很重視這個。我們在藍鳥就有一位專門負責按摩和針灸的，塔謝拉也說很有用。但是洋基比較保守不見得相信這一套，所以有時候不能太明目張膽。」

我想起建仔在坦帕灣復建時因為正好碰到A-Rod在那兒因此沾光，有機會讓名醫林塞診斷而受惠。那時媒體就有討論到是不是有專屬或指定的體能訓練員還差滿多的，有問建仔要不要考慮找自己的人，建仔的回答是球團大概不會喜歡這樣吧。

我向柏奈特提到這點，柏奈特馬上說：「所以要靠我呀！」柏奈特說：「我現在正在努力想辦法，希望他們（洋基）讓大家都有這個機會試試看。上次在亞特蘭大我就要王試試我的按摩師，但是他那時感冒沒試成，這一次我會要我的人跟王連絡。」「那建仔會願意嗎？」「我覺得他很有興趣。」「真的這麼有用嗎？」「當然！」柏奈特說：「我要是不做專業的按摩和針灸不知道會怎麼樣。因為一部分肌肉不舒服會影響其他部分，按摩和針灸是通盤的，所以可以解決這樣的問題。我認為要是奈迪（當時洋基的野手）也有嘗試這個的

話可能就不用去開刀了。」

我不確定柏奈特用的這個人或是針灸和輕度按摩是不是真的那麼管用，但還真是體會到一點，就是在美國這個社會，當你夠大牌時不要不好意思，條件盡量開，別人不行的你可以。你堅持要這樣的專屬人員，球團只有乖乖買帳。柏奈特想把他的特殊待遇普及到建仔及其他球員，這在古板的洋基等於是打破常規，但是這一次看到建仔受傷似乎加深他的決心，認為應該往這個方向進行。

我問柏奈特受傷期間最難熬的地方在哪？他說：「最難的在於不能和球隊及隊友在一起。」

難怪他和建仔小小地話別，說了哪些話並不難想像，雖然在建仔臉上看到了落寞，但是建仔心中應該知道，有這位兄弟在，他並不孤單。

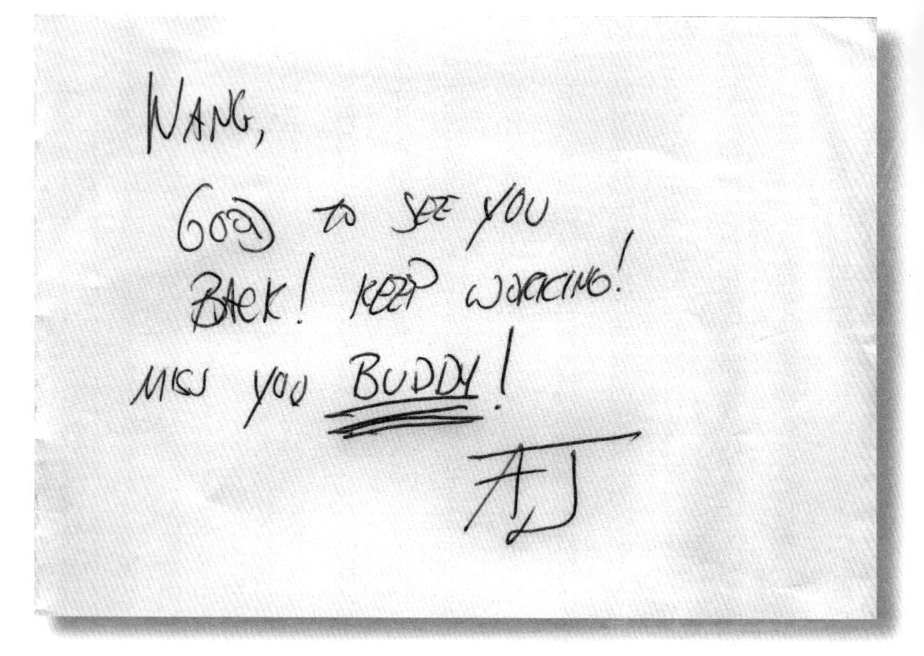

WANG,

GOOD TO SEE YOU BACK! KEEP WORKING!

MISS YOU BUDDY!

AJ

好友柏奈特給建仔的加油字條。

走出框架

在肩膀不適之後，建仔接受了初步的檢查，後來等到的是隊醫阿曼告訴建仔，先休息個一陣子看看。

那時正好球隊在客場比賽，建仔一個人留下來做復健，柏奈特跟他說的話，建仔聽進去了，剛開始覺得球團可能會不同意，但是後來想想，如果做針灸能有些效果的話，的確值得一試。所以後來徵求了球團方面的意見，找了幫柏奈特針灸的師傅，開始嘗試這方面的治療。

這對建仔來說是一個進展，以前的建仔完全聽球團的，包括要他不要跑步這一點，建仔也從來沒有質疑過，但是跑步對投手來說非常的重要。柏奈特說：「要是不讓我跑步的話，可能我都不知道怎麼去投球了呢。」沒想到聽球團的話，反而傷到自己，建仔開始有了不同的體會。

建仔知道洋基並不太相信針灸這一套，在過去的他，絕對不會想到用球團認可以外的方式來調整自己的體能狀況，但是後來發現柏奈特要是堅持，洋基也沒話說，並且甚至還幫柏奈特付這一筆費用，這一點讓建仔領悟到，原來很多事是要靠自己去爭取。建仔說以後要是有機會，也希望能有幫助自己的專屬人員，這也是為什麼建仔日後在與新球隊談判時，會決定要提出有專門防護員要求的原因。

建仔剛做針灸的時候感覺還不錯，但是做了幾次後發現潛在的疼痛似乎沒有完全消失，那時建仔開始有些擔心，結果在一個禮拜之後，建仔第一次嘗試做傳接球時，沒想到還沒投幾球，建仔就因為肩膀過於疼痛而停止練球。

滿臉沮喪的建仔無心接受媒體的訪問，從場上走回休息區的時候，建仔只輕輕說了一句，還是會痛。

因為疼痛感沒有消失，所以建仔又接受了隊醫的診斷。初步決定只要先休息幾天，然後再做傳接球看看，但是建仔並沒有因此放心，想要有第二個意見尋求心安；經過安排，建仔到了大都會首席醫生阿爾區克那裡照ＭＲＩ，結果經他診斷是肩膀內部肌腱有撕裂傷，建議必須開刀。

面臨煎熬

知道了阿爾區克的診斷結果之後，建仔心情跌到谷底，到底要不要開刀這個問題始終折磨著他，那幾天幾乎看不到建仔出現在休息室裡，大家都可以理解，只能默默等待。唯一可以捕捉到的是建仔在場邊觀戰的鏡頭，臉上顯少出現過笑容，看得出心事重重。

建仔的煎熬，都看在隊友眼裡。最關心建仔的柏奈特告訴記者，建仔心情沮喪，甚至到了做完復健就想提早離開的地步，但柏奈特要建仔留下來跟隊友在一起。柏奈特以自己的實際體會為例說：「最難受的是，即使別人沒有遺忘你，你也會以為你開始被遺忘。所以我告訴王：『我們快要到客場打球了，如果真要動手術，未來與家人相處的時間很多，至少現在你應該跟我們在一起。這樣你會好受得多。』」建仔聽進了他的話，留下來看比賽。

柏奈特說的一點也沒錯。在總教練吉拉迪公開說這個球季不指望建仔會歸隊之後，接下來有關建仔的動向，如何時去找安德魯醫生做最後的診斷、後來需不需要開刀等等，對球隊來說已經是比較次要的事。教練得忙著應付每天的比賽，隊友也忙著自己的戰役，會讓你覺得自己完全是個旁觀者，已經退到幕後，那種滋味一點都不好受。

除了柏奈特，派提特是另一個關心建仔的老大哥。有一次在比賽進行中，帶到他與派提特對話的畫面。說了些什麼媒體當然無從得知，不過派提特是一個很有信仰的球員，相信說了一些鼓勵的話。

問派提特在這個時候怎麼樣去幫助建仔？派提特說：「我要他盡量往好方向想。我知道他很難受，但是有時候要put things into perspective（從宏觀一點來看）。他剛得子，又還很健康，就算要動手術，也不是世界末日，只要能復原，又是一個全新的開始。」

或許經過隊友的鼓勵，心情稍微好了一些。建仔在對運動家的最後一場比賽之後出來面對媒體，美國媒體一個個過來問他何時去阿拉巴馬，建仔則一個個回答。但是能問得有限，能答得更簡短。因為最後到底結果如何，一切都還

是未知數。

當一切都在不確定的時候是最難度過的。建仔坦承就是因為不知道答案，所以特別難熬。但是只要一有結論，不管如何都會勇敢面對。

看著隊友轉赴客場，這一次，建仔又孤單一個人留下來。但是與上次不一樣的是，一個更大的煎熬讓他無暇感受落單的寂寞。這一次，隊友們也沒有在媒體前與建仔擁抱或道別，因為該說的都在私底下說過了。這一次，建仔完全沒有掩飾他的情緒。擔憂與落寞，全寫在臉上。

回答完記者們的問題，建仔背著小背包，看著大家，眼神盡是無奈與無言。「那好了喔？」輕輕一句，建仔走了出去。

對於長期採訪建仔的記者們來說，那真不是好過的一刻，因為知道，在這種時候不管說什麼，也撫慰不了一顆焦慮不安的心。

預感成真

建仔飛往阿拉巴馬之後，洋基對外發布消息，就是在接受運動傷害權威安德魯醫生五個多小時的詳細診斷之後，建仔將接受關節鏡手術。

知道這個消息後，我終於了解，在出發到阿拉巴馬的前一天，建仔步出洋基休息室前，為什麼會用那種眼神看大家。我也終於了解，球賽鏡頭上補捉到的建仔，表情為什麼那麼的凝重與失落。這一切都有了答案。或許建仔已有預感，這一次可能避不掉。

會有這樣的推斷是在第一次傳接球之後，洋基隊醫對外的說法是建仔再休息幾天就可以，預定於四天後再試傳一次看看。但是隔了兩天建仔卻在經紀公司的出面要求下去找大都會的醫生。顯然建仔自己覺得有地方不對勁，需要第二意見。然後馬上傳來不太好的消息，連一向對這種消息都保密到家的建仔自

己都說出「很擔心要開刀」的話。

傷史豐富的柏奈特告訴我，運動員事實上都會有一種不能解釋的預感。他舉自己的傷勢為例，那時手肘痛找不出原因，但是他自己卻知道可能必須動刀解決。柏奈特說：「我根本不用等檢查結果就知道我應該是免不了要動手術，雖然都是痛，但是痛的感覺不一樣。」

每一位像建仔這樣在大聯盟投球的投手，手臂痠痛幾乎每天伴隨著他們，但是投球之後的痠痛是屬於疲勞性質的痛，休息幾天就會好，如果是有問題的痛，那麼不是一般性或全面性的，有時候會在某一種角度，或是做某一個動作的時候疼痛特別明顯。所以，事實上是不是出了什麼問題，投手自己會有第一個預感。

而通常在這種時候，自己的預感最為正確。

肩膀開刀

最後決定開刀動手術的其實是建仔自己。

建仔飛到阿拉巴馬接受名醫安德魯斯的詳細診斷，經過精密的核磁共振，結果是的確有撕裂傷。那時安德魯斯提供建仔兩個選擇：一個是開刀，如果開刀的話可以針對問題對症下藥；另外是等它自己好，但是一來不知要等多久，二來不知道可不可以自然癒合。

聽了安德魯醫生的話，建仔坦承很沮喪，但是在考慮之後，做了接受手術的決定。這個手術並不是外界一開始以為的關節鏡手術，而是肩膀動刀的大手術，因此手術並不是一個多小時就結束，而是進行了好幾個小時，而當肩膀被打開，清楚看到裡面的傷勢後，證明建仔的決定是正確的，因為建仔韌帶撕裂程度高達百分之六十，比原先預估的要嚴重，裡面的筋幾乎是快要斷掉的狀

況，這樣的傷不可能等它自己好，一定要動手術把它連接起來才可能復原。

這個真實狀況在當時不管是洋基球團或是建仔自身，都不方便對外透露。因為影響到建仔接下來的去留，以及萬一不續約的話，其他球隊對建仔的興趣，所以洋基沒有去更正原先的說法，只是對外發布消息說手術進行順利。

但是後來洋基總經理凱許曼私底下和部分美國媒體談到建仔的狀況時，透露了傾向不續約，並且指出建仔動手術花了洋基巨額的費用，並且時間相當長，暗示建仔傷勢比預期嚴重。由於當時建仔是洋基的人，只有洋基有權知道建仔手術的實情，外人無從得知，所以以凱許曼私底下的談話來判斷，洋基對建仔的去留可以說幾乎是在動完手術，知道受傷的狀況比原先想像的更糟之後就有的決定，只是不能對外公開表明而已。

這個決定當時在國人的眼中好像很不留餘地，但是後來國民隊的總經理瑞佐對外公開透露了建仔受的傷，根本是一般投手不會受的傷之後（後有詳述），應該知道這完全是一個理性並且商業上的決定。

封閉與隔離

開完刀後回到紐約，建仔進入了冰封期。

要他形容那一段日子，建仔用的詞是「封閉與隔離」，就是把自己封閉起來，與外界完完全全地隔離，什麼也不想做，哪也不想去，每天腦中想的就是手的事。

那一陣子，建仔像是掉進了一個洞裡面，那個洞中，只有他和他自己，不想與外界有任何的接觸，除了必須到球場復健之外就是回家，建仔無心觀看隊友打球，更無心與媒體說話，大部分的時間，都是沉浸在自己的思緒當中。

這不是建仔第一次動肩膀手術，二〇〇一年，建仔剛來到美國的第二年，就因為肩膀受傷動了刀，替建仔動刀的也是安德魯斯，但是那時的建仔雖然也會心情不佳，但畢竟只是在小聯盟，連大聯盟都還沒有升上去，並不知未來是

什麼圖像，只是傻傻地接受任何迎面而來的挑戰。但是八年之後的建仔，已經是成名的投手，是曾經創造兩年連續十九勝的王牌，知道什麼是成功的滋味，卻再度要去面臨不知道還回不回得來的危機，那種身心的煎熬，不是有相同經歷的人，難以理解。

那時候小王子王鵬硯剛生下來一個多月，但因為是小嬰兒，大部分時間都在睡覺，建仔手又才剛開完刀，也不能抱他，多半是看著他。因為沒有太多的互動，所以雖然有初為人父的喜悅，但是卻無法轉移自己的注意力，建仔還是深陷其中。

即使球隊在主場打球，建仔也無心留下來觀賞，這與前一年腳部受傷時完全不同，那時的建仔知道，腳傷好了就可以重新投球，所以最巴望的就是和隊友在一起，只要是主場就會在後面的防護室看球，後來腳可以開始著地，還到場邊觀戰，非常有參與感。但是肩膀開刀完後的建仔前途未卜，看到隊友的奮戰等於隨時在提醒自己不可知的未來，所以寧可不要接觸景傷情，建仔一做完復健便回到家中，將自己與世隔絕。

這樣的日子，足足有兩三個月。

不忘行善

在這段期間雖然建仔有去球場復健，但是媒體見不到建仔的人，但是因為八月八日台灣南部發生了嚴重的水災，中視與中天聯合救災晚會的主辦單位透過建仔的經紀人岩元理惠和建仔連絡，希望能夠錄製一段談話向災民打氣，才手術完沒有多久的建仔答應了。

錄影的那天，建仔右肩掛著吊帶第一次出現在除了球場和家以外的公共場所，他還自己開車出來，並且用仍在等傷口痊癒的右手，寫下他對台灣同胞的鼓勵。

建仔在一張便條紙上寫下要說的話：「看到南部發生嚴重的水災，心裡真的很難過，但是，我相信無論受到多大挫折，我們還會站起來，請大家不論出錢或出力，幫助南部的鄉親，給予他們重返家園的信心和勇氣。同時，我要對

大家好 我是王建民
看到南部發生嚴重的水災，
心裡真的很難過 但是我相信
~~台灣不會這麼輕易被擊倒~~
無論受到多大的挫折，
我們還會站起來，請大家
不論出錢或是出力，幫助
南部的鄉親，給予他們
重返家園的信心及勇氣
同時 我要對救災人員們致敬
你們是真正的英雄，
讓我們一齊努力 攜手度過這個
難關
台灣 加油

建仔為賑災而寫的親筆信

救災人員致敬，你們是真正英雄，讓我們一齊攜手度過這個難關。台灣加油」

看著抖動的字跡，建仔有點不好意思地說：「字寫得很不好看，因為是右手這樣（不穩、抖動）一筆一筆寫上的。」我覺得很有紀念性，向建仔要來了保存，我跟建仔說，大家知道你受傷還願意出來鼓勵災民，會很感動。建仔說：「我的只是小傷，災民才更需要幫助，他們很多都是整個家都沒有了，連生活都有問題，更需要外界的關心。」

那天以後，再一次看到建仔是因為桃園縣龜山國小的小球員來美國打威廉波特少棒賽，最後拿了亞軍，教練答應帶他們到紐約玩，載著小朋友的巴士開往法拉盛的餐廳接受華僑們設宴款待，全隊的小朋友都不知道，一個更大的驚喜在等著他們。途中巴士停在一家飯店前，小朋友一個一個走進地下室時，突然愣住了，坐在一個角落等待他們的，居然是那個只在電視上看過的「王哥哥」——王建民。

原本就害羞的建仔碰上比他更手足無措的小朋友，這樣的畫面實在少有，小朋友一個一個上前握手，介紹自己，聲音是小得聽不見。說真的，要建仔體會有人講話比他更小聲，這種機會還真難。建仔把早就準備好的簽名球，一個

一個給小朋友，然後合影留念。

不善言詞的建仔在致詞時表示，世界少棒冠軍賽他守在電視機前看，看得也很緊張，不停幫小朋友加油，覺得輸球很可惜，但是鼓勵他們再接再厲。

這是個意外的驚喜，也是一場美麗的相會，不曉得建仔看著他們，有沒有回想起以前的自己？不知道那一個個乖乖坐在那裡、以崇拜眼神看著建仔的小朋友中，會不會有一天也成為另一個王建民呢？

傷口灑鹽

傷後的建仔幾乎從不出現在休息室，因為沒出現，美媒也無法報導建仔動向。連關心建仔的亞伯拉罕，在部落格上也很久沒有建仔的消息。但洋基有個全隊要合照的場合，建仔理所當然是洋基一分子，所以讓媒體有機會和他聊天，建仔針對想不想留在洋基的問題，做了肯定的答覆。

也因為建仔表達這樣的想法，就有記者去了解建仔留在洋基的可能性。因為實在不到談合約的時候，所以被問到建仔未來的這位洋基高層不願具名，卻也在不具名的情況下，透露了洋基傾向不續約的消息。並且還說，如果王建民想留下來，最可能的方式是簽小聯盟合約。

不具名的消息不代表沒有權威性，要看說話者是誰，透露消息者若是具決策權的人物，可信度就很高。不具名的消息還有另一種涵義，就是不希望外界知道這話是我說的，但是卻不在乎這個消息會傳出去。

通常不到合約必須有決定時，不會有人願意談球員的去留問題，但是如果願意回答，那就代表即使消息放出去也不會有什麼嚴重後果，至少對洋基不會有傷害。如果真的很在意，認為消息傳出會不符洋基利益，那麼即使被記者問到，還是會守口如瓶。

所以顯然洋基並不在乎讓外界知道與建仔在合約到期時不會續約，這個消息傳出來，有如在傷口上灑鹽，就算不是主動放消息而是被動的回答，但是說真的期限還沒到，談這個問題還太早，也沒有必要。因此，如果只是高層人士私下的談話，沒想到會被寫出來那麼還可理解。如果根本不在意，那麼可以看出洋基無情的一面。

不過反過來想想「邪惡帝國」之名其來有自，柏尼・威廉斯（Bernie Williams）受的冷落、托瑞拂袖而去，都是活生生的例子。無怪乎波沙達要建仔多為自己想，重要的是把這一陣子以來種種的轉折，當做寶貴的經驗，然後改變一些傳統的思維。等到重新出發時，就會更加了解如何在這個競爭激烈、充滿現實的環境中自處。

開始解凍

建仔冰封的心開始解凍，和球季漸漸接近尾聲有很大的關連。

建仔是在〇九年七月底動的手術，八月和九月，是大聯盟棒球比賽進行得如火如荼的月份，各隊為了打進季後賽努力奮戰，建仔卻是一隻受傷的蛟龍被困在淺灘，動彈不得，心中之難受，難以形容，建仔能做的就是不聽不看，以免傷心。

但是說真的，建仔的人生中除了家庭以外，最重要的、他知道最多的就是棒球，沒有別的。一時的隔絕建仔可以做到，但是又能隔絕多久呢？隨著球季接近尾聲，建仔也意識到，球季快要結束了，如果以後不待在洋基，與隊友相處的時間也不多了，然後建仔問自己，既然要繼續過日子下去，不是快樂一點比較好嗎？然後就這樣，建仔說，我走出來了。

極少出現在更衣室的建仔，隨著洋基打入季後賽，開始在媒體前露面，感覺起來好像一步步走出來了，看到自己的球隊表現地這麼好，但是自已卻不能幫上忙，心情十分複雜。建仔說：「那種感覺真的很奇怪，隊友在場上奮戰，自己卻什麼都幫不上忙，真的很怪。但是既然走出來了，就要去學習面對。」

建仔要面對的不只是看著隊友打仗自己只能旁觀的處境，還有大家對他未來的揣測，那種明明有家卻不太有安全感的感覺，建仔是第一次嚐到。

當凱許曼問建仔要不要跟著球隊到客場替自己隊友加油，建仔欣然接受了。這畢竟是一個貼心的舉動，就算那時凱許曼已經有了不續約的想法，但是建仔在洋基有汗馬功勞，要是這是在洋基的最後一年，那麼應該到最後還是與隊友在一起，而不是突然地分開。

鼓勵參與

建仔後來開始比較有參與感，除了感覺到在洋基的日子可能真的不多了之外，柏奈特是主要的推手。

因為洋基打入季後賽，柏奈特得到了投他職棒生涯的第一場季後賽，這一戰他等了十年。賽前我跟柏奈特開玩說：「等一下是你季後賽的處女記者會，看你的囉！」柏奈特笑著回答：「妳想他們會問什麼呢？」我開玩笑說，一定會問你怎麼搞這麼久？沒想到柏奈特認真的說：「因為我沒好好照顧自己。」

聽到這句話，難免讓人有所感慨，柏奈特在馬林魚時因肩傷痛失機會，在轉了一大圈之後，現在才終於等到良機，在某種程度來說，建仔現在的苦，柏奈特最清楚。

上次柏奈特有機會參與季後賽，正好是馬林魚與洋基爭奪世界大賽冠軍的二〇〇三年，但他和現在的建仔一樣，因傷無法上場。那年柏奈特只投了四場比賽就接受湯米約翰手術（韌帶重建手術），整年無法投球。柏奈特說，那種無法參與的感覺真不好受，但是他面對的方式是選擇跟隊友在一起。

「動完手術後我沒回家，我選擇和球隊在一起，所以只要在主場我就會跟著看每場比賽。後來馬林魚打進季後賽，我可以開始練傳接球，所以我隨隊參與每一次的慶祝。」

因為有這樣的經驗，所以在建仔肩膀出問題後，柏奈特不只一次跟建仔說，要他跟大家多在一起，認為這樣會好過得多。不過建仔即使偶爾留下來看比賽，卻極少在媒體開放的時間出現在休息室。

這點柏奈特當然也注意到了，「他還是應該出來，跟記者們講講話，讓大家知道他的狀況，這樣對他比較好。」我聽了只有說，每個人個性不同，處理的方式也不一樣。但是柏奈特還是搖著頭說：「不，我還是要跟他說。」

這兩天看到建仔賽後留下來跟大家說話，感到有些驚訝，顯然老大哥說的話在建仔的心中起了作用。因為太久沒出現，一些外國記者看到建仔，一個個過來打招呼問候，甚至一群人圍著問問題，建仔也一一回答，剎那間感覺像是

回到從前。

建仔的心情想必是複雜的，因為不知道明年此時身歸何處？如果這是在洋基的最後一年，那麼剩下來能跟隊友在一起的日子，得隨著季後賽的輸贏而定；短則只有幾天，長則打進世界大賽。或許讓他開始體會到柏奈特的話，那就是即使無法上場，能夠有某種程度的參與，應該都會好過得多。

結果球迷在建仔走上場時還是報以掌聲，記者們看到建仔熱情如常。這環境當然現實，但也沒現實到完全忘記建仔過去的汗馬功勞，所以連建仔自己都說感覺不錯。不管明年待不待洋基，與隊友的緣分與情誼仍值得珍惜；希望下次洋基在主場噴香檳時，能有建仔歡樂與共的身影。

笑中有憾

結果洋基在季後賽氣勢如虹，一路打入世界大賽。如果洋基真能獲得冠軍，那建仔也會獲得冠軍戒。這一點柏奈特很確定，洋基上次打入世界大賽是二〇〇三年，但敗給馬林魚，當時受傷的馬林魚投手柏奈特也有拿到那只冠軍戒。雖然那年他因傷整季只出賽四場，但做為球隊一分子當然有份。所以柏奈特說：「放心，若拿冠軍，建仔一定會有冠軍戒。」

不過被問到在馬林魚拿到戒指有什麼感覺？柏奈特很誠實說：「老實跟妳說，我沒有什麼感覺，不但沒戴著，也不怎麼去看它，只是把它放在盒子裡。」聽他這麼說並不驚訝，畢竟季後賽完全沒出賽，很難與那支戒指發生感情上的連結。

我跟建仔提說，如果洋基贏得世界大賽，他應該會有一只冠軍戒時，建仔眼睛亮了一秒鐘說：「真的喔？」然後就不說話了。我把柏奈特「沒感覺」的反應說給他聽，建仔馬上說：「對呀，我想我應該也是一樣吧。」因為不是自己打拚來的，口氣有一股無奈。

當隊友開香檳慶祝的時候，建仔並沒有躲起來，但是總覺得自己比較像個旁觀者，他會站得遠一點。他心中一方面為隊友感到高興，一方面為自己感到可惜；後來洋基拿下世界大賽的冠軍，建仔隨著大夥跑上場慶祝並共淋香檳浴，那時候，看到建仔真心歡喜的表情，但是即使在那樣的時刻，建仔承認，

還是會想到自己處境，而有一點小小的感傷。

建仔坦承，這輩子還沒有體會過這麼複雜的情緒，「笑中有憾」這四個字，是最好的寫照。

模擬配球

看著洋基打進世界大賽，王建民雖然無法出賽，但也沒閒著，反而以旁觀者的身分學習並揣摩以前沒有這麼深刻體會的東西，其實收穫不少。

我問建仔最大的觀戰心得是什麼，建仔說在關鍵的時候一定要冷靜。建仔承認以前在有危機的情形時沒有做到冷靜，有許多可以進步的空間。

我提出自己季後賽的觀察，就是我認為在關鍵時派提特比較冷靜，但是柏奈特有時就有過於急切的傾向。建仔聽完我的看法說：「嗯，的確感覺有經驗的投手在季後賽就是不一樣。」那在看他們在投的時候，腦中有模擬嗎？就是想像要是自己的話該怎麼投？建仔說：「有啊，這一陣子看球都會想說，要是我的話下一球該怎麼投，然後看跟實際配出的球一不一樣。」結果呢，建仔說大部分的時候有猜對，但是在關鍵的時候比較沒有猜中。

我斗膽跟建仔說感覺他以前好像比較少去想配球，因此這也算是一種很好的學習，建仔也很坦白地回我，他這一陣子體會到配球很重要，以後要開始自己學會怎麼去配，另外也會想是不是要開始再多學一個球種。建仔透露，他想學一個變化比較大的球路，像是Curve Ball（曲球）。我問他是不是覺得應該要製造速差？建仔說：「對呀，要學會一種比較慢的球路，然後要與快速球差一大段距離才可以，其實其他的球種我也會丟，只是後來很少丟而已。」

我問他有沒有看佩卓・馬丁尼茲（Pedro Jaime Martinez）代表費城人在國聯冠軍賽中的表現，他和建仔動了很類似的手術，結果復出後寶刀未老，那場球投了七局沒失分，雖然球速不比以前，但是佩卓非常懂得利用速差，他展現的Pitching（投球）而不只是（Throwing）丟球。建仔有感而發的說：「那場比賽我有看，他投得滿好的，我以前就是會猛丟。」

建仔坦承這一陣子雖然只能旁觀，還是有收穫，雖然不能出賽很可惜，但是也體會到以前比較沒有體會出來的東西。或許日後來看，這次受傷也促成了

他的成長。

紐約封王

洋基封王後，球場響起了名曲〈紐約紐約〉，大螢幕的鏡頭是曼哈頓夜景，全場球迷沉浸於狂喜之中。這一夜，沒酒也會醉。

在場上的頒獎典禮開放給媒體自由採訪，隨著大伙兒蜂擁而上，才意識到這是第一次走到洋基球場的中央，站在棒球最高殿堂的中心，環首四顧，才真正體會到在數萬人之前的那種巨大感。

看到建仔擠身在隊友間，觀看台上的頒獎典禮，這個新場地建仔整年只投了五場，反而是衝上來替大家歡呼的次數比較多。接下來還會不會代表這個球隊再度上場？也是未知數。

而站在台上的松井秀喜雖然拿下MVP，也是不知明年身在何處？他面對合約的問題說：「我希望能留下來，我愛紐約，我愛這兒的球迷。」全場響起如雷掌聲。

愛洋基、恨洋基的理由，通常都是同樣的原因。洋基是把資本主義社會的功利至上發揮到極致的一個球團，愛它正是因為它夠邪惡，恨它亦然，但它就是美國職棒的第一品牌，這點無庸置疑。

洋基是車子中的勞斯萊斯，皮件中的愛馬仕，你可以罵它財大氣粗，冠軍都是買來的，但是你卻不能否認它的魅力。一旦待過洋基，就像是用過最好的、看過最好的一樣，眼界經歷都自然不同。

這一點松井從來沒有模糊空間，他來自日本職棒的第一品牌巨人隊，來到美國打職棒，除了錢就是那只冠軍戒。除非洋基不要他，他從頭到尾沒有想過洋基以外的球隊。

許多之前痛恨洋基的球員，穿了洋基球衣馬上就臣服，開口閉口說：「這裡就是不一樣，什麼都是最好的。」他們說在紐約打球不一樣，真的是不一樣：「Nothing like in New York.」

為什麼呢？你可以像鈴木一朗般神奇而不知季後賽的滋味，或是擁有零點幾的ERA（防禦率），但是卻贏不了球。或是站在觀眾不過一萬多人的空蕩球

場投球，或是在最多不過六、七位記者的休息室中晃蕩。

如果建仔真的只把打棒球看作不過只是一份工作而已，那真的是到哪隊打球都一樣，有大聯盟該有的水準與保障即可。但如果習慣了幾萬人的掌聲、第一流的待遇，以及幾乎年年都有的十月榮耀，還有一只真正是自己贏來的冠軍戒，那麼不會有太多比洋基更好的地方。

這一點，建仔在洋基處於王牌地位時不見得全然體會，反而是在台下旁觀時才會感觸良多。或許在第一次的封王大遊行時，更會感受到為什麼洋基之所以是洋基。

說它邪惡也好，說它什麼也罷，但是它的確是個帝國，它只認可一個目標，就是贏球。因為只要贏，在美國目的達到之後可以將手段正當化，眾人會盲目地歌功頌德，稱之為偉大。

建仔是這個帝國一手栽培的產物，到目前為止大家也只熟悉穿著洋基球衣的建仔。現在這個帝國已經不一定需要他，沒有建仔的洋基不會有太大不同。問題是，沒有洋基的建仔會是什麼圖像呢？建仔本人還不知道，國人也還無從想像。

我只知道一點，當洋基奪冠那一刻，當那〈紐約紐約〉的歌聲響起，彷彿喝了上等好酒，帶著醉意與微醺，有如站在世界的頂端，因為說真的，Nothing like in New York!

不必崇洋

帶著不可知的未來回到台灣，被問到萬一洋基不續約怎麼辦？王建民說，只要能回大聯盟，哪隊都可以。並且體認到反正都要從復健的過程再出發，但是建仔沒有點出來的是他對於大、小聯盟合約的看法，但是根據我的了解，那就是建仔對於簽小聯盟約的興趣並不大，只是不好明說而已。

在採訪世界大賽的時候，與洋基幾位資深記者談到建仔合約的問題時，他們有一個共同的看法，那就是，如果洋基沒有提供建仔大聯盟合約，那麼建仔應會琵琶別抱。如果到後來真的願意以簽小聯盟合約的方式留下來，那是因為沒有其他更好選擇，不會是因為不顧一切想待在洋基。

雖然在被問到想不想待在洋基時，建仔都是說很想留下來，或是希望明年還回得來；但是建仔之所以會這樣回答，主要還是因為還穿著洋基的球衣，還是身為洋基人的緣故，不管心裡怎麼想，當然都要說這樣的話，總不能明著說要看洋基開出的條件如何吧。

面對合約的選擇時，一個球員考慮的有多個層面，但基本上有兩個重要的因素，一個是物質層面，那就是薪水的高低，另一個就是精神層面，對這個球隊的向心力與感情。

要是洋基能夠提供至少四百萬美金的大聯盟合約，那麼建仔應該是想也不用想就會接受；如果是小聯盟合約，那就要看對洋基的認同感有多強，因為以建仔的條件，一般認為會有其他的球隊提供大聯盟合約，所以捨大而取小，必須有很具說服力的理由。

但是，談到這一點，平常有在關切建仔動向的幾位記者都認為，不管怎麼看，看不出建仔和洋基之間還有那種除卻巫山不是雲的情感在。事實上，從建仔出狀況到最後動刀為止，很多記者都觀察到雙方的互信出了些問題。

如果簽小聯盟約，就是相信球團會把自己調整回來，而調整到位之後會有一個先發的位置，這些都需要相互的信任，而這個互信的基礎在這一個球季出了些問題，不管體能的調整上，在先發或後援的調度上，都沒有讓建仔很有安全感。在這樣的情況之下簽小聯盟合約，建仔必須在養傷以及復健的同時還必須擔心卡位問題，不安全感只會增加不會減少。

如果有一位自己可以完全信任的師傅，或是完全信賴的教頭，還有先屈就於小聯盟的理由，如果沒有，不需捨棄其他更好的大聯盟合約來為洋基而洋基，所以雖然在回答媒體問是否還是以洋基為第一志願時，建仔只能說是，但是同時也說出了只要是大聯盟，哪隊都可以的話。

對於現在的建仔來說，只要是大聯盟，不管哪個山頭，大或小，都只是一個起點而已，等身手回復了，可以越跳越高，這個世界本來就很大，即使除卻巫山，還是有美麗的雲彩。

告別洋基

自己渴望的自由和被迫的自由，雖然都是自由，感覺上卻完全不同。

一如外界預期，洋基以不續約方式讓王建民提前成為自由球員。這個自由換來的，是情感的切割與現實的考驗。

在超過期限的那一刻開始，建仔成為自由球員，不管哪一隊都可以與建仔接觸，也包括洋基在內。雖然對這一刻的來臨，建仔早有準備，應該多少有如釋重負之感。但人在情感上，非得到最後結果出來才會有真正的衝擊。不續約，使建仔與洋基在情感上必然會做一次切割。

每年球季結束後，建仔都會在第二天開放媒體進入的時間到球場打包收拾，今年因為有封王大遊行，沒有球員在第二天指定開放的時間去收拾置物櫃。建仔隨後到阿拉巴馬複檢，跟他提起打包的事，建仔淡淡地說：「喔，對喔，還要去打包。」口氣帶著淡淡惆悵。

面對不確定未來的建仔，會是一種什麼樣的心情去收拾東西呢？洋基是建仔成長茁壯的地方，真正要離開，畢竟是令人傷感的。在談到洋基時，儘管心中有不滿，但聽得出建仔的留戀。

凱許曼透露了希望洋基與建仔還能有緣，但是聽在建仔耳裡，可能不過是一些場面話。但是最後如果有提出小聯盟合約，也只是加入簽約競爭的一個隊伍而已，必須與其他開出條件的球團做實質比較。

建仔二十歲來到美國，洋基是他唯一知道的家。在某種程度上也受到保護與關愛，儘管有風有雨，但都關起門來進行，沒有外出單飛過。加上建仔是慢熱型，個性上自己都承認頗具依賴性，這次如果和洋基分道揚鑣，真如羽翼帶傷的鵬鳥，看著外面寬廣的天空，心中即使帶著不安與遲疑，卻知道必須踏出那第一步。某種程度上，也意味著另一個階段的開始。

人生本如此，有合必有分，現階段真正重要的不是落腳何處，而是大鵬是否還能展翅？只要能夠再度高飛，回頭看這一段，不過是恰如飛鴻踏雪，洋基不過是一個深深的印子而已。

Wealth Management
WANG
40

第五章

一個不一樣的家

從二十歲加盟洋基到被迫離開，建仔第一次投入公開市場待價而沽，藉由建仔尋找新家，讓外界得以一窺大聯盟在合約上商業的考量以及實際上的運作，不管是對建仔本人、對往後想要在大聯盟立足的球員，或是喜愛棒球球迷們，都是一個活生生的教育題材。

首度單飛

洋基確定不續約之後，建仔結束在台灣的休假返回美國，這是建仔自加盟洋基以來，第一次在還不知道職業上的家在哪的情形下離開台灣。直到找到下一個東家為止，建仔首度擁有真正的自主權，這是建仔大聯盟生涯一個新階段的開始。

當然在這段期間內，因為沒有球團的監督，因此每個環節以及大小決定，建仔必須自己多方參與，再加上復健的結果攸關未來職業生涯的展望，自然必須較以前積極與主動。這個短暫必須完全獨立的窗口，提供了建仔一個必須學習自我負責的機會。

之前說過，採訪建仔這幾年下來，一個最大的觀察就是旁人對建仔的問題常常比他自己要清楚。建仔在低潮時，通常處於「當局者迷，旁觀者清」的狀態。所以不管是基德瑞希望他能學習自我負責或是柏奈特的反求諸己，甚至於凱許曼刺耳的「寵物說」。其實這三者的說法背後的理論與緣由都是一樣的，那就是建仔應該學習主動與獨立，不能完全依賴他人。

建仔因為完全信任洋基的調整體能方式，沒有自己去發現問題，球速出不來自己應該知道，沒有跑步影響整體協調性自己也該有所察覺，什麼時候該用力，什麼時候該小心？所謂的量力而為，建仔應該知道拿捏分寸，如果讓別人感覺你是一個小孩子，那麼就會被當成小孩子對待。在某方面來說，「禁跑令」是球團不相信建仔自己知道輕重緩急的結果。

因為對球團過於信賴，所以後來知道是因沒有跑步而引發一連串的後遺症，建仔那種受到背叛的感覺也會特別強。另外在洋基不管是傷兵名單的操作或是後期的調度，建仔對大聯盟在這方面的操作理解不夠，以及沒有主動積極溝通、對於角色轉換適應不良等等，球團雖有不是，但不能說建仔自己完全沒有錯。

把這整件事的前因後果好好想一想，應該是寶貴的一課。就是有時候不能將自己完全交到別人手中，既然是職業運動員，那麼對自己的體能狀況必須有

某種程度的了解，對於所處環境的文化與背景必須要有所涉獵。

這一次回到美國，建仔可能會有一到三個月的時間自主訓練，由於是傷後的復出，更加不能大意。而且在沒有與任何球團簽約前，初步復建的成敗完全是由建仔自己負責，這是學習獨立自主最好的機會。

有一句話建仔很同意，那就是人在艱困的時候，學到的也最多。或許經過這一次的考驗，建仔將重新認識自己、更加愛惜自己，知道怎麼做才會真的飛得高、飛得遠。

洋基陽謀

在洋基與建仔不續約之後，洋基這原本閃亮的招牌，在許多愛護建仔的國人眼中彷彿生了鏽，對於洋基針對建仔的各種舉動或發言都以負面的角度來看待，各種理論中，沒有比洋基陰謀論更離譜的說法。

憑著洋基官網上放著建仔不順利的先發影像，就論定那是洋基為了遏阻其他對建仔有興趣隊伍的陰謀，這完全是主觀的臆測，沒有任何事實的根據。因為大聯盟各隊的官網根本不是由個別的球團主導與負責，是由Major League Baseball Advance Media這個大聯盟的分支機構一手包辦的。即使如此，他們還是要強調客觀性，所以連官網記者發布的新聞都還會加註一句：此報導不需經過大聯盟及球團的審核。

官網主要是服務球迷，所以在洋基官網上告訴球迷洋基不續約王建民的消息，旁邊放的自然會是建仔本季被打爆的畫面，主要是提醒球迷洋基之所以這麼做的原因；而大都會的官網上寫著球團對建仔有興趣的文章，旁邊自然是會放建仔過去優異的表現，用意也是提醒球迷會想網羅這位投手的原因，這有什麼不對嗎？

事實上，在建仔肩膀必須開刀的消息傳出之後，最早寫洋基可能不會跟建仔續約的是國內的媒體，接下來才是美國媒體。那時候國內外的記者們都覺得是合理的推斷，因為怎麼看都不覺得洋基會願意再投資四百萬美金在建仔身上。早在九月份凱許曼對美國記者私下談話時，就以很肯定的語氣透露了洋基

不會與建仔續約的消息，原因也只有一個，就是若不願意花四百萬，唯一的做法就只有先non-tender（不換約），然後再說。不過就是這麼一個非常簡單，一點也不複雜的商業決定。

這個決定從〇九年九月中旬凱許曼透露口風後就沒有再變過，後來的情節也是這樣發展，從頭到尾這個態勢就是很明白，只是依情依理，不能在合約到期前公開表態而已。

松井秀喜的情形也差不多，大家都猜洋基不會和他續約，主要不是洋基不喜歡松井，也不是他表現不好，只是洋基開始出現老化的問題——三十五歲以上的球員太多，松井、戴蒙在守備上都不夠強，要使球隊年輕化，就必須做出這樣的決定，目標一旦確定，很難去改變它，因為球團要不要一個人有時候是大環境來決定，並非是特別針對誰。後來即使松井拿下〇九年世界大賽的MVP，洋基還是跟他說沙呦那啦，你可以說它無情，但不能說它陰險。

在建仔動刀後，洋基對建仔從頭到尾只有陽謀，沒有陰謀。這個陽謀就是很公開地告訴大家：我不是不要他，但是我不想花四百萬，我現在就是等著撿便宜，看後來撿不撿得到而已，而且他們有充分不願續約的理由。

大聯盟分分合合是常事，雙方都要為彼此留退路，不用一味地把建仔描述成受害者，好像洋基的一舉一動都不懷好意，這對建仔在大聯盟往後的路一點好處都沒有，應該是藉由這一次的波折，更加認清大聯盟的運作，也讓建仔有認清自我價值的機會，把挫折當作動力，把危機當作轉機，真正有所成長與蛻變。而對他不離不棄的球迷也以可與他一起成長與學習，這不是比較健康與正面嗎？

賭注遊戲

建仔離開洋基後，到底會花落誰家？是國內許多球迷最關心的話題之一，因為這是建仔第一次換東家，也讓外界有機會了解談判的過程，以及球隊在對於考慮是否簽約上面的思維。其實若要打比方，跟賭博場上的下注非常類似。一言以敝之，就是一種風險上的算計，不管是球團方面或者是建仔一方，都是在冒某種程度的險。

要是洋基願意冒個不小的險，建仔現在還是洋基的人，但是洋基不願意。而洋基的不冒險對外釋出了一個訊息，那就是對建仔復出信心不足。在那個時間點，建仔處於劣勢。但是建仔初步復原情形不錯，在進度上比預計的提前，這個正面的進展讓建仔能把自己的價值往上拉抬，開始讓外界覺得是個值得冒險的投資，也讓經紀公司可以有籌碼對外操作。所以當時經紀公司對外都說不急，這是一種策略，藉此向外界顯示對建仔的復健充滿自信。因為只要隨著復健越來越好，有興趣的隊伍會越來越認真，如果產生互相競標的局面，價碼只會越來越高。

但是真的是要等到最後嗎？這倒不見得。因為合約這種事，多半都是希望能夠看到一些實質的動作來活絡市場、增加買氣。如果完全都只聞樓梯響，不見人下來的話，代表沒有人願意冒險，那麼身價怎麼樣也抬不高。所以在說不急的同時也不忘提醒那些有興趣的球團們，要是誰願意主動先冒個小險、大膽下注的話，會是個贏家。目的是給對建仔有強烈興趣的球團一些壓力，刺激他們在賭注上的神經，看哪個隊會提著好約上門，只要有一個隊伍真正提出了優渥的條件，那麼市場就算打開來了。

所以一開始傳出有十多個球團對建仔有興趣，這只是為了炒熱局面而已，其中包括高度有興趣到只是純粹觀望的不同等級之分。最有意思的是，真正對建仔有興趣的球隊，不見得希望別人知道。有時候越是有興趣的球團可能作風越是低調，以免橫生枝節，招來其他球隊搶人。就像是在拍賣會上，真正有意要得標的人往往都默不作聲，卻在暗地裡出價。不然就是先沉住氣觀看局勢，然後等待最好的時機出手。

結果也證明，後來真正提出合約的隊伍都不在媒體點名的報導之中。

合約內幕

一開始國內對於建仔合約的報導臆測紛飛，但是眼看過了近一個多月，建仔合約還沒譜，這下子又很快地轉為悲觀。其實兩者都不合實情，事實上早在〇九年的十二月份，當洋基確定不與建仔續約之後，辛辛那提的紅人隊在很短的時間內，提供了一份大聯盟合約，但是條件不優渥，基本薪資連百萬美金都

沒達到，那時建仔人在台灣，雖對這份合約不滿意，但是彷彿吃了定心丸——就是的確有球隊願意給他大聯盟的合約。

建仔回到美國之後，馬上到安德魯醫生那兒複檢，沒想到檢查結果是進度提前，因此建仔的經紀公司努力地把這項消息對外宣傳，後來在一月中下旬就是建仔到亞利桑那州自主訓練的時候，美聯的克里夫蘭的印第安人隊大膽提出了一份優渥合約（這份合約的內容基本上就是後來國民隊比照的合約）。這個舉動拉抬了建仔的身價，也就是在這個時候，建仔的經紀人尼洛對外宣稱，正在期待一份非常好的合約，其實是說給其他對建仔有興趣的球隊聽的，而建仔這個最新的行情當然會在各隊間遊走，所以尼洛說得很明，有意的球團最好動作要快，因為誰能夠主動一點就能搶到人。

這個消息傳出之後沒多久馬上有了回應，道奇隊便派人到亞利桑那州的費雪中心現場勘查，評估的結果是建仔還需三個月才能登板投球，因此在衡量之後，不傾向在現階段提出和克里夫蘭一樣的條件來爭奪，而是希望進一步看到復健成果之後再說。

沒有想到，在二〇一〇年二月上旬，國民對居然跳出來搶人，比照克里夫蘭的條件提出合約，並且還設下期限，要求建仔必須在期限前答覆。當然有一個球隊十分積極爭取的這個訊息，也會在相關人等中傳開來，所以國民隊給建仔壓力的同時，建仔的談判團隊也給其他球隊壓力，希望在最後的時間點，會有其他球隊跳下來參與競標，尤其是希望看看建仔本人最有興趣的道奇以及大都會這兩支隊伍，是否也會跟著加入競爭的行列。

結果道奇隊及大都會這兩隊，一個是積極地評估，一個是被動地觀望，都沒有正式提出合約。先前提過，建仔的傷勢比外界所知道的還要嚴重，剛開始不為外界所知，但是談到要網羅，那麼每個球團都會提出調閱的要求，這兩個球團沒有提出合約，按理說應該還是考量建仔的傷勢，認為不應該在當時就冒險出價。

眼看國民隊所設下的期限迫在眼前，建仔在考慮之後，於二月十日左右做出決定，穿上國民隊特別為建仔準備的四十號球衣，正式成為國民隊的一員。

高潮迭起

既然有三個隊伍爭取，為什麼最後是國民隊勝出，相信國人都十分好奇。

事實上在建仔合約談判過程扮演最關鍵角色的是美聯的印地安人隊，他們在建仔狀況仍十分不明的時候，居然提出了一份基本年薪兩百萬，加上激勵條款近乎高達五百萬美金的合約，令建仔與經紀公司都大為振奮。

主要的理由是，想要網羅建仔的球團，都會要調閱建仔的醫療報告，包括他的受傷歷史，除了研究建仔過去的傷情與復原狀況之外，還要有自己的醫療團隊親自做健康檢查，必須要有某種程度以上的說服力，球團才會願意提供大聯盟的合約。

在知道建仔的肩傷狀況其實頗為嚴重之後，印地安人還願意大膽出手，等於打了一劑強心針。因為有這份合約在手上，建仔的身價馬上從紅人隊不足百萬的價碼大為提高，如果紅人隊還有意願，那麼至少要比照，但是紅人隊的預算有限，在無法抗衡的情形下，其實是幾乎出局的。

有了這個口頭提出的合約之後，經紀公司當然會釋放消息，主要的就是看建仔真正屬意的兩支隊伍，也就是西岸的道奇隊與東岸的大都會隊是否會跟進，但是沒想到真正很快就有動作的是國聯的國民隊。

在三支隊伍中，國民隊展現了最高的誠意，除了薪資的比照之外，最主要是願意把建仔列入四十人名單，也就是讓建仔感到有保障，當復原的時候，應該可以回到先發參與輪值。印地安人這支隊伍雖然比國民隊戰績好，但是同樣的競爭也比較激烈，等到建仔可以出賽的時候，不見得一定會有先發的位置給他。

另外國民隊也最積極，沒有觀望的意味。在提出合約之後，限建仔三天之內答覆，反之印地安人雖然大膽提出合約，但是在動作上沒有那麼有效率，所以建仔在考慮之後，做出了加盟國民的決定。

建仔當時面臨的抉擇是，要是等到完全復原的話，是較可能爭取到自己最想去的隊伍；但是一直自主訓練，在心情上難免覺得不夠安穩，沒有歸屬感。

HARRIS
careers.harris.com
newimage
dentistry
434-4444
EpiceMD.com
CARRABBA'S
CANCER
CENTER
SYMETRICS
INDUSTRIES
symetrics.com
TERMINIX
CROWNE PLAZA
NATIONALS

落腳國民。 攝影／陳威安

另外，雖然復健的情形很好，但是每個球團在球季開始之後，要看後來發展，像是不是陣中有人受傷需要補強，才會考慮要不要對外網羅，這方面的變數其實很大，所以雖然不是自己特別中意的球隊，還是先找到東家才能安心復健。

建仔在期限內給了國民肯定的答覆，但是因為國民隊四十人名單已滿，必須移除一人之後才能公布消息，因此才會有雖然已敲定合約，但是卻無法公布的情形。這完全是受限於技術問題而非故意搞神祕，基於這層障礙，不管是經紀公司或是國民隊本身，都不方便證實相關消息，而在這段等待期間內顯然也沒有任何程咬金殺出來攪局，所以建仔最後依照承諾成為國民的人。

新的突破

建仔合約內容經公布之後，大家都覺得條件相當不錯，其中還包括一項新的要項，就是建仔要求有專屬的翻譯兼防護員，這可以說是一大突破。

這個要求當時沒有對外透露，主要是不希望在徵選的過程中有太多人情壓

力，或者不公平的情形發生，所以希望能暗地裡進行。

外界常誤以為是建仔不喜歡有翻譯，事實上，建仔剛來美國加入洋基時，有一位隨身翻譯，但是在建仔二〇〇一年肩膀受傷後，洋基找藉口與這位翻譯解約，讓建仔感受到球團現實的一面，因此後來洋基沒提，建仔也不想再去要求，這是建仔好強的地方。

因為後來種種轉折，建仔體會到溝通的重要，這並不是指建仔英文的能力不好。對於平常的生活應對，建仔的英文是足以應付的，但是當有任何問題時，建仔的英文還不到可以運用自如的地步；另外，即使語言能力沒問題，建仔的個性就是不會去主動尋求答案或是積極表達。這樣的處世方式，在建仔處於生涯高峰時並沒有特別的問題，但是當建仔遭逢挫折之後，卻成了一個在雙方溝通上的阻力。

有了過去的經驗，建仔到國民隊之後，希望能有一位隨身的翻譯，並且必須兼任防護員。因為接下來從復健太重要了，是建仔重返大聯盟一個最重要的關卡與考驗，如果有任何的疑問與不解，可以透過翻譯隨時表達，然後立即解決問題。

這令我想起與穆西納最後一次的對話。那是在〇九年球季的Old Timer's Day（洋基懷舊日），那時建仔還未開刀，但是正飽受肩傷之苦，穆西納則是在退休後第一次造訪洋基，一大堆的記者圍著他，等大家都問完問題以後，我問穆西納有沒有跟王建民打招呼，他說：「有呀，我跟他說了兩分鐘的話，我問他英文好點沒？王說：『Better』。」我接著問他有沒有給建仔什麼建言，穆帥說：「他現在在受傷，什麼也不能做，所以我跟他說：把英文弄更好些。」

穆西納不是那種隨便說說的人，顯然他也看出來了一些東西，才會這樣地告訴建仔。棒球是一個非常講究團體的運動，不像許多其他個人的運動，即使語言不是那麼熟悉也沒有關係。但是棒球不一樣，不管是與球團以及教練團的溝通，還是與隊友或媒體的相處，語言都是非常重要的一環。

建仔在洋基即使居於王牌地位時，在美國的曝光率卻不高的主要原因也是因為語言問題。要是有隨身的翻譯，建仔每當表現突出時就可以經常地出現在主流媒體上，這也有助於建仔提高知名度。

在大聯盟闖蕩進入第六年，建仔終於將擁有一位隨身翻譯。到了國民隊還真是一切都是新氣象，象徵一個良好的開端。

國聯出發

雖然不善於打擊，但是對於在國家聯盟重新出發，建仔是早有心理準備。早在受傷開完刀沒多久，傳出洋基可能不會續約的時候，建仔就已經想到可能會是在國聯開啟大聯盟生涯的第二春。

一開始外界還存有建仔不喜歡打擊，所以應該比較傾向留在美聯隊伍的印象，但是建仔已經開始告訴自己，不要因為必須上場打擊這一點而對國聯球隊有抵抗感。

事實上，以建仔的狀況而言，從國聯再起，具備美聯沒有的優勢。眾所周知，比起美聯，國聯的許多隊伍打擊力比較弱，防守上比較強。另外因為投手必須兼打擊的關係，所以嚴格說起來，真正必須小心應付的打者比美聯少了一位。除此之外，美聯的球隊與建仔交手了好幾年，對於建仔的風格與球路比較熟悉，比較知道怎麼去面對建仔的沉球。但是國聯的球隊普遍來說，與建仔對決的機會不多，對建仔的球路還摸不太清楚，所以建仔遇上國聯球隊勝率非常高，而個人生涯最高紀錄的十次三振是面對大都會隊所創下，這些都有它背後的原因。

考量到建仔傷後復出，在球速或在控球上若還不能達到百分百的情況下，那麼面對打擊較弱、對自己球風比較不熟悉的球隊，總比面對打擊強、對自己球風頗為了解的球隊要輕鬆一些。

除此之外，建仔目前最重要的就是能夠在不受太多外在環境的干擾下，重新站穩大聯盟，會影響心理層面的因素是越少越好。如果是在美聯，那麼碰上老東家還有以前隊友的機會非常高。建仔進大聯盟之後就只待過洋基隊，這是第一次必須穿上洋基以外的球衣與以前的隊友對決，難免會覺得怪怪的。雖然以新聞的角度來看很具話題性，但是對傷後復出的建仔來說，卻是一種不必要的外在影響。在國聯的球隊，這樣的機會大為減少，在整體復出的環境上單純了許多。

當然，什麼事都有正反兩面，也因為國聯打擊弱，所以不能太期望隊友火力支援。另外在防守上國民隊偏偏是一支不強的球隊，在期待隊友的攻或守上或許會有在美聯或在洋基時沒有的挫折感，但是在自己投球的心理層面上，相對的壓力上卻比較輕，而這一點在現階段上，重要性比其他來得高。

國民的弱，對建仔而言可能是強處。因為是經常處於墊底的隊伍，相對在求勝上沒有那種非進季後賽不可的壓力，這一點也減輕了建仔的心理負擔。對任何要誓言東山再起的人而言，一開始的起步非常重要。如果有好的起點，那麼自信心會越來越強。建仔目前需要的是一個不具有太大壓力的環境，讓他可以按照自己的步伐重新站起來，只要第一步站穩了，接下來會容易許多。

以這樣的角度來看，從美聯中最強的洋基隊到國聯中最弱的國民隊，是一個身處逆境卻懂得反向操作的明智抉擇。

首要之都

大家都知道國民隊是大聯盟最差的隊伍之一，但是它卻是在美國權力最中心的華府，是首要之都，是美國總統歐巴馬有可能去開球的地方。當然訪問華府的觀光客不會像是訪問紐約的觀光客一樣，把造訪國民隊當做景點，但是這一點，隨著來自台灣的王建民加入，可能會小小地改觀。

到一個會把你當回事的地方，比到一個把你不怎麼當回事的地方要強。

首先說國民隊為什麼要這麼積極，因為這個算盤不管怎麼打，對他們都有好處。一個球隊最怕沒有話題，沒有人關心，光是建仔可能要加盟的消息，就頓時把國民提升到一個國際球隊，上了許多美國媒體的報導，引起了許多球迷的討論。光這一點，國民隊就等於冠上了平常不太有的光環，頓時耀眼起來，另外要是建仔恢復身手，當然可以大大幫助這個成績實在有點難看的隊伍。

再說建仔為什麼決定加入，當然地點並不是最主要的原因，建仔決定落腳國民是因為提出的條件夠好，另外對國民隊來說，建仔來自洋基，是大聯盟中最高級的品牌，也是剛剛拿下世界大賽冠軍隊的前王牌投手，一位明星級球員到一個最弱的隊伍，在待遇上會有比其他球隊更多的尊重以及禮遇。

不過因為它是位於華府的關係，對政治超冷感的建仔或許不會想到，他的

加盟對台灣來說會有一些連帶而來、完全不費力的附加價值。華府沒什麼多，就是政客和記者最多，這下子我可以想像，華府圈的記者們在訪問政要的同時，如果知道他們喜歡棒球的話，或許會插上一句：「你覺得王建民怎樣呢？」通常有關台灣的話題不好回答，但是一扯上運動，大部分的美國人不管是再達官顯要，都會突然表情溫暖起來，彷彿回到孩提時代，忍不住要多聊幾句。

前紐約市長朱利安尼是個超級洋基迷，他特別愛看建仔的比賽，那一次正好是地鐵大戰，建仔飆出個人最高的十次三振。我在場外等他，看他願不願意接受採訪，我才一開口問：「你覺得王……」他不等我問完馬上說：「他太棒了，這是他生涯最高的三振吧。」那個興奮的表情，我到現在還記得。

運動真的是最好的國民外交，〇九年採訪龜山國小與美西的隊伍打世界大賽冠亞軍的比賽時，美國副總統拜登坐在人群中觀看，他對前來打招呼的觀眾來者不拒，要簽名給簽名，要握手他也行，甚至一起拍照也沒問題，展現了十足的親和力。那時在場的所有台灣媒體都在說，要是台灣有任何的駐美代表在場的話那就太好了，因為在這種場合，依禮儀相互握手寒暄，沒有人會以為你在故意作秀。你國家的小孩跟我國家的小孩在比賽，做為雙方的大家長，我們地位相當，平起平坐。

在華府要公開掛中華民國的國旗是很難的，因為它是美國的首都，是政治權力中心，有象徵性的意義。在彼此沒有邦交的情形下，凡事都要低調，但是運動無關政治，建仔要是在國民隊的主場比賽，我閉著眼睛都可以想像華僑帶著國旗進場加油的樣子，而誰都不能阻止說不行，這比做什麼外交都要自然有用多了。

我相信當建仔正式在主場重返大聯盟，那時華府不管有什麼有關台灣的新聞，都不會比建仔的傷後初登板更受到台灣媒體與全國球迷的注目。

感受溫暖

建仔到國民隊報到是國民隊的一件大事，連大老闆凱斯頓都親自出席。穿上了國民的球衣之後，建仔也不感奇怪，因為華盛頓的第一個字母W和自己的王以及贏的第一個字母一樣，所以建仔對於新球衣頗有好感，另外也特別去訂製紅色的手套，上面繡一個大大的W，一方面代表球隊，一方面代表自己，當然也希望能夠贏得勝利。

國民的整體環境跟洋基完全不同，這一點建仔到了沒多久馬上感覺到了，整個春訓的氣氛是非常輕鬆且沒有壓力的，之前在洋基每天的作息都有一張表貼出來讓球員以及媒體知道，但是在國民隊卻沒有，建仔剛開始不太適應，好像不知道每天該先做些什麼。

另外建仔對他們來說是一個明星級的人物，連採訪的媒體都可以明顯感受到國民對建仔的歡迎。

首先以採訪證來說，一發就是整個春訓。若是在洋基，剛開始只給當天的採訪證，並且還不准進更衣室；這邊不但春訓，也給一整季，當開口說需要整個例行賽的採訪證，國民隊的公關也馬上說沒問題。在洋基時，是到了第三年才終於拿到，兩者間的差別非常大。

在採訪時，當國民隊的總教練要說話時，公關還會特別跑來知會台灣媒體，不僅如此，國民隊的球員們也很親切，幾乎每位球員走出來看到台灣媒體們都會打招呼，有的來一句聽不懂的走音中文，搞了半天是說「你好」，有的是主動問候，有的乾脆在旁觀看。

國民隊的公關除了介紹大概的採訪規則，然後還主動告訴台媒只要媒體有特殊的需求，隨時都可以告訴他們。因為台媒向他反應，建仔加盟國民記者會在台灣凌晨一點，報紙的截稿時間都過了，形成困擾。因此他說像這樣的問題就可以事先告知，球隊方面就可以考慮是不是應該更改。

國民隊召開記者會的時間，有可能順應台灣媒體的要求而更動！這在洋基叫做「天方夜譚」。所以建仔雖從勞斯萊斯級的洋基來到國民，媒體的感覺卻有如從經濟艙升等到頭等艙，終於知道被當作回事是什麼樣的感覺，而四周原本實在不怎麼樣的風景，頓時間也美麗了起來。

第六章

一切從零開始

由於建仔傷勢的特殊性，復健的過程有如在走前人沒有走過的路，常常是走走停停，甚至走兩步退一步。其中的單調、苦悶、辛酸以及挫折，都不足爲外人道，可以說是一步一腳印，點滴在心頭。

復健挫折

隨著二〇一〇年球季正式開始，建仔在國民隊的復健從春訓營改到小聯盟基地，才剛開始傳接球沒多久，就傳出了手痠暫停的消息，實在是有點讓人擔心，但是從另一個角度來看，建仔若有任何問題馬上提出來是正確的作法。

有時候對他人誠實還不是最難的事，對自己誠實更難，尤其當你是大聯盟球員的時候。建仔在洋基的前隊友柏奈特在建仔肩膀受傷之後，以過來人的身分談起自己傷痛史，問他對建仔復健有什麼建言時，柏奈特說了一句最中肯的話，他說：「最重要的是對自己誠實。」這是他親身體驗後學來最寶貴的經驗。

為什麼這樣說呢？因為很多時候大聯盟的球員，包括柏奈特自己在內，在真正必須動刀前都會感覺到一些不對勁的地方，但是卻會去硬撐，然後告訴自己，投手哪有手臂或肩膀不痛的？沒錯，手臂或肩膀痠痛幾乎伴隨著每一位大聯盟的投手，但是呢？一般的投球後的痠痛和比較有問題的疼痛是有差別的。因此柏奈特表情嚴肅地說：「坦白說，我不覺得小王在受傷前會不知道自己肩膀已出了些問題，但是這個經驗在某種程度來說是好的，會幫助他，就是要學會對自己誠實。這是最重要的。」

過去的都已過去，不必再提。重要的是記取教訓，不要重蹈覆轍。當然這也是說來容易做來難，當投手躲不過動刀，等於逼著他們必須誠實地面對自己的處境，但是當復健的過程一開始，能不能誠以對己，又是一項伴隨而來的考驗。在某種程度來說，復健中誠以對己不見得比較容易。因為沒有一位投手不想快一點回到場上，所以要他們不操之過急有時比登天還難。

常發生的情形是，球員在必須要有表現的壓力下，會認為身不由己，進而加速復健的腳步，最後害到自己也無利於球隊。所以這也要所屬的球團能夠配合，不去給球員壓力，從建仔報到之後所受到的對待來看，國民隊真的對建仔保護有加。而這樣處處保護傳達了一個訊息，就是我們願意等你慢慢來，這提供了建仔心理上很大一個安全網，鼓勵建仔據實以報。光是這一點，就值得為

建仔感到慶幸。

傷疤找碴

用走走停停來形容建仔復健的過程頗為貼切，肩膀以及手臂的痠痛時好時壞，所以每天都要看肩膀的感覺再決定下一步，要是有痠痛那麼就要暫停，然後一切又重來。到二〇一〇年的七月初建仔甚至發生肌肉輕度發炎的現象，必須中斷復健，先休息幾天。這種走兩步可能退一步，甚至不知下一步在哪裡的情形對身心是一種煎熬，而這些難以預測的後遺症，主要因為傷疤找麻煩的關係。

王建民恩師基德瑞是少數敢說真話的人。他在洋基決定不續約後就表示建仔應該要休息一年，不要太急著復出。當時聽到這句話的建仔說，但是如果已經好了為什麼要等呢？這就是建仔天真的地方，因為傷口必須要時間才能完全的癒合，並不是那麼地簡單。

主要是在於肩膀在痊癒的過程中，傷疤的組織會比平常僵硬，比例是百分之十到十五，並且通常會比較厚，血流比較不順暢，周圍的肌肉活動功能也因此比較受限。這對一般人沒有什麼，但是對投手可是大事一樁，這也是日後會影響球速或是控球的能力的主要原因之一。

一般來說投手在動過肩膀受術後，多少都必須去面對傷疤的問題。一方面在復健練投的過程中，慢慢地去把它磨平，讓它恢復到原來該有的柔軟度，但是又不能過分地牽動它，讓癒合的部分又裂開。如何找到平衡點，是很令人傷腦筋的問題。

還記得前洋基投手萊特吧？他就是在二〇〇五年的四月因為肩膀疼痛，被放進傷兵名單，所以洋基才會把建仔從3A叫上大聯盟。萊特經過檢查後發現是傷疤的裂傷。那時的萊特說：「當時每天猜想可能會是什麼問題的時候，是怎麼樣也睡不好的。後來知道是傷疤部分裂開之後安心了點，總比受到其他的傷要好。」萊特是在二〇〇〇年動的肩膀手術，幾年後舊傷還是來找碴。

另外一位建仔的前洋基隊友薛菲爾德，在〇八年四月於底特律比賽時感到肩膀疼痛。他馬上就知道可能是傷疤的問題。他說：「當你動了肩膀手術，你

應該讓所有的傷疤組織磨平到正常的狀況，但是我沒有那個機會，我是去年十月底動手術，今年二月份就上場，理想的情況應該是等上一年。」也就是說，沒有等傷疤組織回復正常就急著上場的話，就得負擔那部分組織會出問題的風險。

所以，基德瑞的一年說是有根據的。事實上後來的發展也證實了這一點。

國民說實話

建仔何時可以上投手丘投球？從一開始的六月份一延再延，不知道是不是被記者問煩了，國民的總經理瑞佐乾脆把話說明白，告訴大家建仔的復出沒有明確的時間表，主要是因為建仔的傷是非常罕見的傷，根本不是一般投手會受的傷。

根據《華盛頓郵報》的報導，瑞佐形容建仔的傷勢在一般投手中極為少見，反而比較像美式足球員會受的傷。然後舉紐奧良的四分衛 Drew Brees 為例說，建仔動的是和他一樣的手術。《郵報》直接引用瑞佐的話說：「As far as baseball pitchers go, there haven't been many —— if any ——injuries and subsequent surgeries to compare it to.」也就是說，因為大聯盟的投手中幾乎很少人受到這樣的傷以及動了這樣的手術，所以根本沒有什麼前例可循。因此談到建仔的復健進度，坦白說就是邊走邊看，看建仔本人感覺如何才能決定下一步。

如果對美式足球熟悉的球迷會知道，Brees是贏得二〇一〇年超級盃的靈魂人物。他的捲土重來是一個相當振奮人心的例子。《運動畫刊》在二〇〇七年一月號曾就他受傷、手術乃至於復健成功的過程，有非常生動的描述。

二〇〇五年最後一場比賽，當時屬聖地牙哥電光隊的Brees遭到其他球員衝撞，頓時右肩脫臼（建仔並沒有），然後也是到運動傷害權威安德魯醫生那接受檢查。結果發現Brees的關節囊周圍，也就是肩膀關節的軟骨組織外圍是一整圈地撕裂，然後在手術進行的過程中又發現深度的旋轉肌部分裂傷，安德魯醫生形容的肩膀關節傷勢，是他所診斷過受傷的運動員中，最特殊與少見的例子之一。

手術完了以後安德魯坦承，他只不過是給他一個可以運作的肩膀，如果只

是一個普通的運動員絕對不可能從這種傷勢中復原。結果呢？靠著非比尋常的動力與毅力，Brees奇蹟式地回復。安德魯醫生形容，他的復原是他所動過手術的運動員中最值得稱頌的例子之一。

如果真如瑞佐所說，建仔所經歷的手術幾乎和Brees一樣的話，那麼建仔的傷勢並不簡單，根本不是一般大聯盟投手會碰到的。不只建仔肩膀的韌帶撕裂的程度比外界所想像或得知的要深，可能旋轉肌的部分也有裂傷。

Brees的故事在運動界廣為所知，他後來成為超級盃最有價值球員的情節有如神話一般。所以瑞佐的老實說，一方面讓外界理解建仔真實的狀況，不要有不切實際的期望。一方面也等於暗示，以Brees的例子來看，沒有什麼是不可能的。

現在建仔要挑戰的，就是一個不可能中的可能。

數據佐證

到底投手肩傷開刀後復出有多難？與其揣測，不如以實際發生的例子當作一種參考，因為醫療的進步，舉太久以前的例子也沒有太大的意義。

根據統計，在〇六年底到〇七年初，動過旋轉肌傷手術的大聯盟投手（含先發四位與救援三位在內）總共有七位。不禁讓人感到好奇，經過了兩三年，這些投手目前狀況如何呢？在一一詳查之後發現，四位先發只有一位算是成功回到場上，三位救援也只有一位順利復出。

以先發投手為例，當年隸屬紅雀的Mark Mulder在〇六年季末（三十歲）動了手術（紅雀有情有義的以兩年一千三百萬美金與他續約），〇七年九月五日復出，結果發現旋轉肌必須再做補強手術，一直到〇八年的七月九日正式以先發投手登板，結果因一個牽制投球導致肩膀再度受傷，紅雀最後決定買斷認

賠。

當年為紅襪效力的Matt Clement在○六年九月（三十二歲）動了手術，然後○七年整年在紅襪小聯盟復健，○八年與紅雀簽下大聯盟約，但是開季又上了傷兵名單，只有投小聯盟復健賽，然後在八月遭釋出，後來與藍鳥簽小聯盟約，但眼看回到大聯盟無望，在○九年四月宣布退休。

金鶯投手kris Benson○七年（三十三歲）一整年因為旋轉肌傷沒有出賽，○八年與費城人簽下小聯盟約，在小聯盟表現雖然還不錯，但沒有機會上大聯盟，因此主動要求被釋出，○九年與遊騎兵簽下小聯盟約，但是又短暫地進了傷兵名單，結果在無法證明可以回復到大聯盟水準後，在六月份遭到下放3A。

被稱為神之右手的佩卓・馬丁尼茲在大都會麾下的○六年季末，快三十五歲時動了旋轉肌手術，○七年大半球季末出賽，九月成功復出，但○八年第一場比賽就拉傷左腿，整季表現不佳；○九年初沒有與任何隊伍簽約，但是在經典賽中亮相，藉此展現實力。一直到七月份才與費城人簽下一只年薪百萬美元的大聯盟約，八月份在洋基球場投出佳作，之後又在季後賽中表現亮眼，證明寶刀未老，是四位先發中唯一成功重返大聯盟的投手。

當然以上的例子僅供參考，因為是否能成功復出完全看個人的身體狀況，像建仔在二〇〇一年年動完肩膀手術後證明球速完全恢復，後來也活躍於大聯盟，這已經算是異數了。這一次是否能夠再度重振雄風呢？沒有人敢給肯定答案。

有一點特別值得注意的是，肩傷復出後再受到某種程度傷害的比例似乎相當高，所以是難以預測，不管是建仔自己或是球團都沒有把握，這才是真實的狀況。

心理障礙

復健過程中不只體能上的障礙有待克服，有時候心理上的障礙難度更高。為了全力準備復出，在二〇一〇年季末的後期，教練團開始要建仔全力投球，問建仔是否有盡百分之百的全力？沒想到建仔很誠實地說：「我心裡想要

百分之百用全力，但是神經好像不聽話，明明頭腦告訴自己要用全力，可是出手的時候好像沒有完全做到。」另外目前雖然出手點已經找回來了，但是右腳的落腳點和正常時期不一樣，原本落腳點應該和身體平行的，但是建仔右腳的落點會超出身體半步。

建仔說，根據教練團分析，他是下意識地去保護自己的手，所以會踩超過，利用緩衝的時間來拉住它。從這兩點來看，建仔顯然是正在經歷些微的Mental Block（心理障礙）。

這種障礙在運動競技上很普遍，基本上，就如建仔形容的是一種神經上的干擾，而不是能力的問題。以建仔的情形來說，是潛意識在保護自己。他在受傷開刀十個多月之後，教練團終於判斷他可全力投球，顯然能力上是可以的。但是在精神層次上，不可能馬上回復到之前完全健康的那種心態去施展，雖然頭腦很清楚自己應該已經完全復原，可以盡全力去投，但是在執行的時候就是無法完全放開，也就是某種程度的陰影還在。

這是投手在肩膀開刀後到了最後關卡會碰到的常見問題。試想一般人要是因什麼事受傷，經常會有一朝被蛇咬，十年怕井繩的反應。而運動員有別於常人，他們職業的一部分就是去面對風險。不過他們畢竟也是人，不是神，難免也會在心理的底層害怕惡夢重演。

針對這個問題，柏奈特的看法是，有時候越小心，越容易受傷。他說就像跌了跤以後，要是走路過於小心，後來搞不好傷到臀部一樣，所以還不如完全放開。但這真是說來容易做來難，因為有時候保護自己是一種本能，不是腦袋可以解決的。建仔本人也了解，這是很正常的現象，只有多多去投、去練習來解決，別無他法。

所以傷後復健的過程有時候最難的還不在體能的回復，而是必須超越心理上某種程度的障礙，唯有這兩者都成功跨越才能夠真正地捲土重來。

國民耐心

雖然建仔很心急，但是國民對卻對建仔很有耐心，即使期間碰到了大小挫折，國民隊都沒有露出不耐，也從來不去催促建仔，反而是一直要建仔本人不

要太急，遇到困難不要氣餒，這一點是非常難得的地方，建仔感受很深，也特別努力想要回報。

眼看球季快要結束了，建仔的狀況卻還不到可以復出的時候，國民隊在九月初終於正式對外發言表示，建仔在二〇一〇年已無復出的可能，將會在秋季指導聯盟投球，這時大家已經開始揣測國民對接下來對建仔的盤算。

就此我特別請教國民隊總經理瑞佐到國民隊是否打算與建仔續約，他以非常肯定地語氣表示，「我們想和王建民再簽約一年（We would like to have him on contract for next season）。」

瑞佐特別強調：「我敬佩他在復健過程中所做的努力，雖然這一路走來是充滿挫折並且痛苦的，但是他非常地認真。」

在談到他如何去看待建仔在秋季聯盟的表現？是否會依建仔的狀況來評估是否與建仔續約，令人意外的是，瑞佐說他並不會把它當做一個考核。不會去看建仔投得有多好、球速有多快、自責分有多少。瑞佐說他最在意的是建仔投了以後還是不是健康，以及投完之後感覺如何。因為建仔走到這一步非常地不容易，他知道建仔健康時是一個怎麼樣的投手，所以不會用秋季聯盟的一場比

賽來衡量是否與他簽約

當時感覺國民隊已有意留建仔，只不過沒有說出要用什麼方式留人而已。事實上，從國民隊對建仔的耐心已窺出端倪，就是比較像是一種長遠的投資而非短線的炒作。

結果在十月份的秋季指導聯盟，建仔抱著緊張的心情踏上投手丘，隔了四百五十八天，建仔終於踏出了第一步。雖然只投了一局十三球，但是表現亮眼，球速達到八十七英哩，不只瑞佐看了很滿意，其他球團派來的球探也對建仔的狀況感到驚訝，這替建仔下一球季的去向鋪了一條平坦的道路。

再續前緣

二〇一〇年整個球季都在復健中度過，對於國民隊來說難免是失望的。雖然建仔在國人心中份量無可比擬，但是說真的，要國民隊再花個一百六十萬美金與建仔續約，以純商業的角度來看，不管怎麼說，都不是一個很合理的決

定。國民隊的總經理瑞佐坦言，這一季以兩百萬美金簽下建仔的投資，對雙方而言都是一個令人沮喪的結果，但是他沒有怪建仔，因為在商言商，投資就是有風險，但是接下來還要再冒險嗎？以球團的立場來看，好像有點說不過去。

展望二〇一一年，讓國民隊能說服自己再留建仔的方式，就是換建仔來承擔風險，讓球團有個保障，那就是不續給大聯盟約，而是提小聯盟合約，等建仔確定可以上大聯盟了，再提供較為優渥的薪資條件，以做生意的角度來看，這是一個合情合理的作法，建仔心中其實有數，但是還是抱著某種程度的希望。

合約到期後國民隊果然沒有續大聯盟約，而是如外界所預期的提出了非常優渥的小聯盟約。國民隊的算盤雖沒有打錯，卻沒有預料會有隊伍會來搶人，在建仔成為自由球員之後，德州的遊騎兵隊在非常短的時間內就提出了百萬年薪的大聯盟合約來網羅建仔，這個訊息被國民隊得知之後，國民高層了解到，如果有意重新簽回建仔的話至少必須要比照，不然會被遊騎兵隊捷足先登。

國民隊也很快地表達了會考慮加碼的意願，但是沒有馬上下結論，因為國民隊對網羅克里夫・李（Clifton Phifer Lee）有意願，但是在克里夫・李確定回

到了國民隊，建仔一樣習慣坐在水桶旁，靜待上場時機。 攝影／陳威安

到費城人隊之後，自由市場上可網羅的投手並不多，因此加速了國民隊的決定以免夜長夢多，正式提出願意以保障年薪一百萬美金與高達近四百萬美金的獎勵金，與建仔重續前緣。

這個發展對建仔來說，可以說是最理想的結局。建仔本人心中就是屬意留在國民隊，如果沒有任何球隊提出大聯盟合約，建仔極有可能接受小聯盟約，沒想到遊騎兵願意提供大聯盟約，但是如果國民隊無意比照的話，那麼建仔還是會被迫離開，投效他隊一方面要重新適應新環境，一方面無法對國民有所回報，因此最好的結果就是國民隊能夠加碼。

而國民隊在評估情勢之後，終於做了願意比照的決定，主要是不希望看到辛苦培養的建仔被遊騎兵撿便宜，決定以一年百萬美金的保障年薪與建仔重新簽約。

雙方誤解

知道可以回到國民之後，建仔心情非常好，復健上是前所未有的積極。這一次不只是在台南，建仔特別到台北進行復健，經過了許多挫折，建仔了解到自己必須要化被動為主動，找出對自己最有利的訓練方式。建仔發現用一種特殊的繩子來訓練肌肉之後，效果非常好，不只在台北用，到了亞歷桑那州的自主訓練營，建仔都會花相當的時間用繩子來調整肌肉的耐力，所以一開始春訓的時候，球團發現建仔的狀況突飛猛進，因此懷抱著極高的期望，但是建仔在接受美國媒體訪問時，老實地分析自己趕不上球季開始，應該會到五月份才能回大聯盟，建仔這樣說並沒有錯，因為球團在前一季快結束時便是這樣評估他復出的時間點，另外在與球團後續的合約談判中，也是以這個復出時間當作一個指標。但是沒想到這句話聽在總經理瑞佐耳中卻不太高興，主要理由是對外的面子問題。因為美國媒體對於國民隊以大聯盟約留下建仔這一點見解分歧，加上建仔整個狀況出乎預期地好，因此為了證明國民隊這次投資是正確的，球

團方面當然是希望建仔最好是能趕上球季。

這不是第一次建仔的發言與球團的方向相左，上一次是在洋基改調牛棚時，建仔對美國媒體坦言對這個角色不適應，使媒體逼問並且質疑總經理凱許曼的決定，那一次可以說是建仔不了解要說場面話，給球隊面子。但是這一次建仔卻是無辜的，因為從事後的發展來看，建仔的估計並不算保守，甚至可以說要不是球團太急的話，那麼搞不好真有可能在五月回到大聯盟。

但是因為國民對建仔夠意思，所以建仔知道瑞佐對他的發言有意見之後感到懊惱。建仔的個性是只要別人對他好，或是他覺得自己有責任，那麼不管怎麼樣會去勉力而為，不想辜負球團對他的期望，所以改口說自己可以趕上球季，然後在復健上全力配合。

暫時停擺

因為總經理瑞佐的高度期望，二〇一一年春訓針對建仔開出來的菜單，是把他當作一般的、也就是沒有傷勢的大聯盟球員來訓練，隔一天就進牛棚，剛開始也沒有問題，讓建仔大為振奮，很多媒體也配合報導，認為真的趕得上球季。但是這樣到三月初第一次投模擬賽的時候，建仔才投了十六球、不到一局，就發現肩膀緊繃而退場，原先的計畫也因此停擺下來。

球團把牛棚練投延後，要建仔先休息個幾天再說，同時也意識到把建仔完全當一般沒有傷勢的球員來訓練是不正確的，而要求快的結果反而是欲速則不達，並且會使復出的時程延後。

還好建仔已經對這種復健上的小挫折不再陌生，心情的起伏也不再那麼大，自從受傷後到復出這條路，建仔常常是走兩步退一步，跨出每一步之後都要看手臂的狀況如何再決定怎麼走下一步，很難有固定的步驟。先前隔一天投牛棚顯然太為激進了一點，對於肩膀的負擔過大，所以建仔在投某一個動作的時候，會感受到肩膀後面的一部分內肌緊緊的，投起來好像有一部分會卡住，不夠順暢，並且會疼痛，這種疼痛和一般投球後的痠痛並不一樣。

而在這段期間，建仔也特別把在台灣的體能訓練師洪雅琦請到佛羅里達州替自己看看狀況，這是建仔的一大改變，以前的他都是被動的，球團告訴他怎

麼做他就跟著做，現在的他，懂得自己也要主動去找出問題的所在。

在洪雅琦的建議下，建仔持續用特殊彈力的繩子來鍛鍊肌力。建仔幾乎每一天都用訓練繩來練腳力，另外每隔一天用來訓練臂力。光這個部分就要花兩個小時，因為這不只是針對肩膀旋轉肌的部分，還有整個手臂以及腳部，這些投球都會牽連到的部分。整體肌力的增強可以訓練全身的均衡發展，所以建仔認為很有用。

其實以過去建仔的傷痛史來看，經常因為投球的動作引起某一部分肌肉的受傷，或是跑步引起的小腿拉傷，證明投球牽一髮動全身，因此復健不能夠只是專注在某一部分，不然腳傷好了手變弱，或是手強了腳還不夠力，而當有一環比較弱時就會用另一環去補，這麼一下來，不管是過度在上半身或下半身施力，很快就會受傷。在這方面建仔已經是領教到苦處，所以找到了一個可以鍛鍊全身肌力的方式後，能力與信心都大為增強。

找出問題

約一個多禮拜之後，建仔又重新開始牛棚。不過教練團發現建仔投球的姿勢與動作有時候還是會跑掉，有的時候是出手點，有的時候是落腳點，有時是手掌太快翻掉，不管是哪一個環節做的不對，都會影響到整個投球的動作。

球迷大概對建仔姿勢常跑掉這一點有點大惑不解。其實一位投手的姿勢正不正確，是看他身心兩方面健不健全一個最好的指標。

過去建仔在大聯盟處於高點的時候，姿勢有時候也會出問題。根據他自己的形容，就是壘上有人時想太多。那時主要是心理問題。

在動完肩膀手術後，建仔有很長一段時間在養傷，以及做一些簡單的復健，肌肉已失去當初投球的記憶。傷後等於一切要重新來過。

甚至到了可以用全力投球的時候，姿勢還是會出問題，這是身體的保護機制啟動。這一點建仔自己很清楚，他說：「姿勢走掉的原因，就是投球的時候，身體自然會用最不痛的方式去丟。因為之前某些動作伸展地太大，肩膀後

面就是有塊地方感覺會緊緊的。所以身體下意識會去保護自己，形成投球姿勢的不正確。」

如果姿勢不對，一直練下去也沒有意義，所以當建仔明顯有這樣問題的時候，教練團乾脆要他暫停一下，等不快感消失之後再來調，不然效果不大。

而在經過不斷地調整之後，建仔的姿勢終於固定了下來，並且認為自己這一次應可應付接下來的模擬賽，按照建仔自己的分析，春訓初期的趕進度，完全按照正常投手的牛棚練習，讓好不容易幾乎完全復原的肩膀不勝負荷。到了真的上場要全力投球的時候，動作牽動了開過刀的肩膀內某部分肌肉的疼痛。現在牛棚改為投一休二，肩膀比較有喘息的空間。在投正確的姿勢時，也不會有不舒服的感覺，這就證明了可以準備出賽。

建仔的傷是大聯盟投手沒有受過的傷，因此沒有前例可循，都是經過不斷地測試與評估，在不能太快又不能太慢之間，要找出一個平衡點。感覺上教練團終於找到了一個對的節奏，建仔現在就是按著這個步伐小心翼翼地前進。

試投曲球

牛棚練投了將近一個月的時間，建仔終於又可以邁入下一個階段，就是再投模擬復健賽，結果投了一局沒失分，成果良好。最主要是隔天肩膀沒有異常疼痛的現象，讓大家鬆了口氣，然後接下來的模擬復健是一局一局往上加，到了第四次的復健賽，建仔的沉球大發威，四局不過用了三十八球，相當精簡，感覺建仔真的快回來了。不禁讓人回想起沉球王子的風采。想想，最後一次看到王子的沉球發威就是跑壘受傷的二〇〇八年六月十五日，也就是快要三年前的事了。

根據建仔自己的評估，不管是控球還是球速都回復到巔峰期的九成。控球還是沒有完全達到隨心所欲的程度，至於球速也還需要加強。但是至少動作上固定了下來。教練團認為，只要動作流暢，球速自然會水到渠成。

建仔當然知道，傷後的他球速是否能回到從前還是未定之數，所以在練投的時候特別加了曲球，就是希望能夠有一種慢一點的球路來製造速差。在練了

穿上國民隊球衣的王建民與隊友Jordan Zimmermann（投手）一起練球。
攝影／陳威安

一陣之後建仔認為自己的曲球還不錯：「感覺滿慢的。」

在大聯盟生涯長久的投手，即使球速大不如前，但是如果有多種球路，一樣可讓打者摸不著頭腦。但是這必須要出手的姿勢與動作必須整齊劃一，讓打者看不出破綻才行，建仔目前從投快速球到慢速球間的轉換還沒有那麼地流暢，所以還是要勤加練習。但他知道這是必須要嘗試的路

穆西納在退休前的二〇〇八年，就是靠頭腦而非球速拿下二十勝。那年建仔在六月跑壘受傷後無法上場，但在後期常在場邊觀看。〇九年那年的球季末建仔開始出現在球場，又看了季後賽老將神之右手佩卓的表現。那時候他就體會到自己應該要增加一個慢一點的球路，這樣可以延長他在大聯盟的職業生涯。

因為即使建仔在全盛時期時，碰到狀況的時候均傾向猛丟，而不是用智取。所以當沉球球速一減低，又沒有別的球種可以依賴的話，就會有被打爆的可能。而建仔最拿手的第二個武器雖然還是滑球，但是建仔的滑球與速球之間的速差不夠大，無法讓打者失去平衡。

所以如果建仔能夠學習製造速差的話，那麼球速就算沒有回到當初的程度

也不用過於擔心，可以用速差的效果來解決打者。這不但可以減輕建仔飆球速的壓力，也可以訓練建仔上場是真正去投球，而不只去丟球而已。

這將是建仔重新復出時，一個令人相當期待的進化。

一延再延

經過了好幾場的模擬復健賽，建仔最後可以投到先發投手所需的五局的量，眼看就要離開維耶拉，沒想到臀部有點小小地拉傷，為了保險起見，球團要建仔至少留到延長春訓結束，建仔只好又是按表操課。最後一場也就是在二○一一年的六月四日投完之後，建仔打包好，準備回紐約的家休息一天然後到小聯盟報到，開始進行正式的復健賽，沒有想突然接到高層來的電話，不但延長他回紐約休假的天數，並且還要他再回復健基地訓練一陣子，預定再投兩場後，才到小聯盟出賽

這不是建仔第一次在滿心期待下被臨時澆冷水，這種感覺當然很不好，雖

然球團提出的理由很正當，就是希望建仔的球速能再往上升一點，而這需要用時間來往上調整，而不是用硬拚去得來。

到底球團內部是怎麼算計的？無人知曉。當球團在做一個重要決定的時候，往往看的是整體而非個人，希望建仔增加球速的理由當然正當，尤其傷後復出有許多前車之鑑。除了建仔臀部小小拉傷之外，正好就是在這個時候，同樣也是肩膀開刀後復出的韋伯（Brandon Webb），雖然在最後一場延長春訓比賽能投到七局，但是在小聯盟的第一場正式復健賽不但投了三・一局就失了六分，而且在幾天後的牛棚練投時發生肩膀發炎的現象。顯然在模擬復健賽中一切正常並非保證可以應付硬碰硬的實戰

除此之外，國民隊也必須考慮到如何在先發陣容中安插建仔，因為一旦到小聯盟投復健賽，依規定必須在三十天之內升上大聯盟，因為建仔整個的復健是以先發投手的方式進行，要怎麼樣在已經固定輪值的先發陣容中讓建仔卡位進來，不是一個那麼簡單可以操作的事情。

這些都說明了重新復出必須主客觀都配合，有的是有位置在那兒等但是卻狀況頻傳，有的是已調整好了卻苦無出頭機會。還好建仔所屬的國民隊不是季

後賽的熱門隊伍，如果是的話，那麼不會在接近季末的關鍵時刻，把已經運作正常的先發輪值輕易做出更動，但即使如此，還是必須顧慮到已經為球隊在場上投球、貢獻付出的投手的感受。

我相信球團最後的決定是一個綜合考量的結果。

倒數計時

雖然對到小聯盟投復健賽的日期被一延再延，弄得建仔有些不太高興，但是最後終於確定下來，在美國時間的六月二十七日到國民隊小聯盟低階1A投第一場正式復健賽，建仔的心情為之一轉，因為按大聯盟的規定，在四十人名單上的球員，如果到小聯盟開始復健賽，必須在三十天內回到大聯盟，所以一切順利的話，等於是回到大聯盟進入了倒數計時的階段。

結果建仔在低階以及高階1A的比賽都是越來越好。

兩年前的〇九年七月四日美國獨立紀念日，建仔在洋基投到第六局發現肩膀出了問題。兩年後的七月四號，建仔在國民隊主場第一次牛棚練投，為回到大聯盟復出做準備，整整兩年了，建仔的感觸是：「好久喔，但是還是走過來了。」

回首來時路，建仔說：「就是一直告訴自己要堅持下去。這樣棒球這條路還會有，如果放棄了，今天就不會還在這裡投球了。所以要有信心！走到今天這兩年的付出都值得！」

感覺建仔真的成長了好多好多，這兩年大大小小的挫折，逼得建仔更加成熟。現在的他知道，不管遇到什麼打擊，都有撥雲見日的一天。

算了算回到大聯盟的日子，建仔自己問自己說：「咦，開刀那一天是幾號？七月二十九嗎？好像是耶。」也就是說，一切沒有意外的話，建仔站上大聯盟的投手丘正好在開刀兩年後左右。不同的是，兩年前從雲端跌落谷底，兩年後是正準備攀上高峰。七月二十九日接受手術，這個過去一定不會忘記的心痛日子，在兩年之後不但開始變成一個比較遙遠的記憶，而且還可以用行動重寫歷史。

大概沒有一項運動會那麼地去強調歷史上的今天，也因為這個原因，建仔

建仔2A復健賽，代表哈里斯堡參議員隊先發，主投六局無失分。 攝影／林茲慧

雖然兩年沒有出賽，但是常常被提起。不是洋基的轉播員，就是評論家或記者，常常拿建仔曾經的輝煌來與其他投手做比較，也還是會去關心他復健的進度。他在洋基兩年十九勝的記錄，會永遠在那裡，沒有人可以抹滅。

也因為這個原因，國民隊願意在建仔身上下賭注。即使去年一整季沒有出賽，國民隊還是認為建仔是個績優股。

也因為這個原因，球迷始終如一、不離不棄、耐心等待。這一切都靠著建仔過去的累積，所以大家和建仔一樣仍然believe、仍然有信心。

現在的建仔鬥志是前所未有的旺盛。他說這是一定要的，要比以前更高。他坦言在小聯盟的每一場比賽都很興奮也很開心。雖然要東奔西跑，但是一點也不感覺累。看到那麼多的球迷前來捧場，雖然投完球很想早一點休息，但是建仔一個一個地為他們簽名，回饋他們的支持與鼓勵。

今年的七月是一個與兩年前完全不一樣的七月。現在的建仔，正以前所未有的信心與毅力，一步一步地往著大聯盟那一塊投手丘邁進。

寶貴領悟

在某方面來說，建仔在洋基的成功，有如仙履奇緣般的神話，也可以說是時勢造英雄。在高點的時候，建仔的舉止與心態並沒有太大的改變，雖然對大部分的台灣人來說，建仔有著近乎神的地位，但是那不是他的本意也非他的初衷。對於建仔來說，他只是在做一件他喜歡的事——投球，不過如此而已。他對「台灣之光」這個頭銜沒有什麼感覺，但也不討厭。問他怎麼看外界把他看作神一樣，他說：「你不能控制別人怎麼去想，但是有人幫你加油總是好的。」也就是說，建仔看得很清楚，外界對他的期望是一種投射，並沒有影響他怎麼樣去看待自己，對於所加諸的各種頭銜基本上也是出自於善意，所以他也能理解，但他不會因此改變自己。

雖然建仔這個人沒有什麼改變，但是這次跌到谷底的挫折，讓他有一些新的體會。建仔說，以前就是聽話，別人要你做什麼就做什麼；後來才發現，你要主動開口人家才會幫你。問他什麼時候發現的，建仔想了一下說，就是跑壘受傷了以後。

聽了這句話，真有點讓人無言以對。直覺的反應是，怎麼會是這樣呢？但是這就是真實的王建民，就像一個聽話、老實、被動的小孩。當自己站在高點的時候並沒有體認到自己在高處，可以處處去要求；反而是摔了跤，感覺到痛的時候，才發現不開口不行了，逼著自己做一些改變。然後才發現，其實早就應該要這樣，因為在美國這個社會，你不說，就沒有人知道。

過去的建仔老是把自己定位在隊上的小老弟上，沒有脫離所謂的臍帶文化，總是依靠長輩與仰賴權威，好處是讓很多人忍不住來照顧他、疼愛他。如果是剛進入社會的新鮮人，那麼可以理解，如果已經是在這行打滾好幾年的老鳥，還是無法提升自己層次的話，那麼到頭來總會付出代價。

因為一個莫名其妙的意外，建仔才恍然大悟：喔，原來很多事是要自己去主動要求與爭取的！這對許多人來說是想當然耳，但是對建仔來說卻是當頭棒喝。

這是多麼寶貴的一個領悟。

建仔2011年的春訓身影。　　圖片提供／美聯社

從零開始

二十歲來到美國，建仔完全不知道該去期待什麼。但是那時候手臂是健康的，可以全力去衝、去挑戰大聯盟。現在的肩膀是受傷的，一切要從頭來過。二十歲的建仔也從沒想過後來的發展會是這樣，在洋基有過美好的歲月，以及一般投手望塵莫及的榮耀，卻因為一個意外掉落到谷底，其間的酸甜苦辣，建仔一路走來，自有體會。「人生起起伏伏，不是嗎？」建仔說。

人生呢？就是有高有低，這一點建仔已看得很清楚，雖然希望能夠回到那個高點，但是現在的他看得很開，知道有些事不能強求，只有告訴自己去努力，不要放棄。其他的，不是他可以掌握。

揮別洋基，建仔沒有留戀。他的個性是一旦想開了就想開了，不會再去回顧與留戀。來到國民隊，建仔期望有一個全新的開始，雖然不是一個戰績好的隊伍，但是卻對建仔最有誠意。做決定之前雖然也有過掙扎，但是一旦選擇了這個球隊，建仔就沒有再去懷疑。尤其在一整年沒有出賽的情形下，國民隊還

是對他有信心，對於這份知遇之恩，建仔心中充滿感謝，行動上想積極回報。

復健是漫長而無聊的，每天重複著相同的事，而且不知道最後辛苦的代價是否會有收穫，這些背後的辛酸，都不是外界所能了解，但是最大的不同是，建仔當了父親。

小王子的出生讓建仔改變了不少，什麼事都想到小孩，看著他一天天長大，帶給建仔最大的動力，告訴自己一定要加倍地努力，因為要做一個榜樣給兒子看。

休息了好一大段時間，要把投球的感覺找回來，有如小孩子學走路，而建仔的兒子也剛開始學步。建仔有感而發地說：「看著他在一步步學走，我想到自己也開始學怎麼投球，一切從零開始。」

這一次，建仔不是剛從小聯盟被叫上來的那位小伙子，他曾在短短期間內創造了台灣球員在美國大聯盟前所未有的神話。這一次，建仔像小王子剛開始學走路一樣，要一步一步地，創造屬於自己的神話。

高階1A復健賽前，建仔穿上38號的臨時球衣，在高階1A的波多馬克國民隊進行牛棚練投。

攝影／林玆慧

王建民的關鍵戰役	
二〇〇五年四月三十日	大聯盟初登板。面對多倫多藍鳥隊，主投7局失2分，無關勝敗。
二〇〇五年五月十日	對戰西雅圖水手隊，主投7.1局失3分，第8局被換下場時，獲得滿場洋基球迷的起立鼓掌。終場洋基以7：4贏球，王建民拿下大聯盟生涯第一勝。
二〇〇五年六月十八日	面對國民隊主投9局，最後被國民打者Ryan Zimmerman敲出再見全壘打，洋基以2：3輸球，賽後建仔怒摔手套，是他第一場完投敗。
二〇〇五年七月三日	出戰底特律老虎隊，先發7局無失分，終場洋基1：0獲勝，建仔第一場無失分比賽。
二〇〇六年七月廿八日	完封坦帕灣魔鬼魚隊，生涯第二次完投，也是第一次完封勝。
二〇〇六年九月廿八日	奪下該季第19勝，刷新大聯盟單季亞洲投手的勝投紀錄。
二〇〇六年十月三日	季後賽首輪（美聯分區賽），迎戰底特律老虎隊主投6.2局，失3分，以優質先發拿下勝投，成為大聯盟史上第一位在季後賽獲得勝投的亞洲投手。
二〇〇七年六月十六日	面對紐約大都會隊，投出在大聯盟生涯新高的10次三振。

王建民的關鍵戰役	
二〇〇七年八月八日	客場對多倫多藍鳥隊，主投2.2局失8分退場，是建仔升上大聯盟以來，投球局數最少，失分最多的一場比賽。
二〇〇八年春訓期間	取得薪資仲裁資格，最後確定年薪為洋基球團開出的400萬美元，成為台灣運動史上第一位年薪破億（台幣）的運動員。
二〇〇八年四月廿二日	對戰芝加哥白襪隊，主投6局獲勝，以生涯先發85場取得生涯第50勝。不僅是亞洲最快，也是近30年洋基投手的最快紀錄（已於二二〇一一年六月廿六日被沙巴西亞追平）。
二〇〇八年六月十五日	面對上休士頓太空人隊，主投5局無失分獲勝，但於跑壘時不慎受傷，本季提前報銷。
二〇〇八年十二月廿二日	洋基球團和王建民達成協議，二〇〇九年的薪資為1年500萬美元。
二〇〇九年四月三日	擔任新洋基球場首次啟用的先發投手（表演賽），對芝加哥小熊隊，主投5局失4分拿下勝投。
二〇〇九年四月廿日	對戰克里夫蘭印地安人，主投1.1局即痛失8分退場。連三場被打爆，防禦率高達34.50，紐約媒體甚至出現「垃圾」字眼。

王建民的關鍵戰役	
二〇〇九年七月四日	出戰多倫多藍鳥隊，於第六局突然右肩拉傷，提前退場，主投5.1局失4分，無關勝敗。
二〇〇九年七月廿九日	接受名醫安德魯斯進行右肩關節囊損傷開刀手術，球季提前結束。建仔在洋基時期累計成績55勝26敗1救援成功。
二〇〇九年十二月十三日	洋基隊決定不換約（non-tender），王建民成為自由球員。
二〇一〇年二月十六日	以一年200萬美金加上激勵獎金300萬美金加入華盛頓國民隊。不過因傷復健，整季未出賽。
二〇一一年	春訓開訓前，以一年100萬美金及激勵獎金，再度被華盛頓國民隊網羅。

Champion 05

不可能中的可能——王建民的美麗與哀愁

作　　者　龔邦華
總 編 輯　初安民
責任編輯　陳健瑜
美術編輯　林麗華
校　　對　陳健瑜

發 行 人　張書銘
出　　版　INK 印刻文學生活雜誌出版股份有限公司
新北市中和區建一路249號8樓
電話：02-22281626
傳真：02-22281598
e-mail：ink.book@msa.hinet.net
網　　址　舒讀網www.inksudu.com.tw

法律顧問　巨鼎博達法律事務所
施竣中律師
總 代 理　成陽出版股份有限公司
電話：03-3589000（代表號）
傳真：03-3556521
郵政劃撥　19785090 印刻文學生活雜誌出版股份有限公司
印　　刷　海王印刷事業股份有限公司

港澳總經銷　泛華發行代理有限公司
地　　址　香港新界將軍澳工業邨駿昌街7號2樓
電　　話　852-2798-2220
傳　　真　852-2796-5471
網　　址　www.gccd.com.hk

出版日期　2011年 8 月　初版
2011年 9 月1日　初版五刷
2024年12月　二版一刷
ISBN　978-986-387-796-7
定價　380元

Copyright © 2011 by Jessica Kung
Published by INK Literary Monthly Publishing Co., Ltd.
All Rights Reserved

國家圖書館出版品預行編目(CIP)資料

不可能中的可能──王建民的美麗與哀愁／龔邦華 作.
--初版. --新北市中和區：INK印刻文學，2024. 12
面；　公分. --（Champion；05）
ISBN　978-986-387-796-7（平裝）
1.王建民　2.運動員　3.台灣傳記
783.3886　　113020004

舒讀網

版權所有・翻印必究
本書保留所有權利，禁止擅自重製、摘錄、轉載、改編等侵權行為
如有破損、缺頁或裝訂錯誤，請寄回本社更換